Mes dictées

6e année

Mes dictées

6e année

Sabrina Dufour

CARACTÈRE

Mes dictées de 6ᵉ année

Sabrina Dufour

© 2017 TC Média Livres Inc.

Révision linguistique : Maryse Froment-Lebeau
Correction d'épreuves : Denis Ouellet
Conception graphique et infographie : Bruno Paradis
Conception de la couverture : La boîte de Pandore

5800, rue Saint-Denis, bureau 900
Montréal (Québec) H2S 3L5 Canada
Téléphone : 514 273-1066
Télécopieur : 514 276-0324 ou 1 800 814-0324
caractere@tc.tc

ISBN 978-2-89742-955-3

Dépôt légal : 1ᵉʳ trimestre 2017
Bibliothèque et Archives nationales du Québec
Bibliothèque et Archives Canada

Imprimé au Canada

1   2   3   4   5   M   21   20   19   18   17

Gouvernement du Québec – Programme de crédit d'impôt pour l'édition de livres – Gestion SODEC.

Ce projet est financé en partie par le gouvernement du Canada

Table des matières

Mot aux parents

Mes *dictées de 6ᵉ année* est un outil parfait pour aider votre enfant dans l'apprentissage de l'écriture en 6ᵉ année. Afin que vous puissiez l'accompagner dans ces activités, nous vous proposons différents thèmes adaptés aux jeunes, comme les métiers atypiques, les Sept Merveilles du monde ou encore de grandes inventions d'ici. Quelques outils pédagogiques vous sont également présentés en fin de cahier. Ils sont faciles à intégrer dans la réalisation des défis de cet ouvrage et, surtout, ils sont conçus pour être transférés aisément aux tâches scolaires de votre enfant par la suite.

Une carte d'organisation des idées regroupant tous les concepts vus dans ce cahier vous est proposée en fin d'ouvrage. N'hésitez pas à la laisser à la disposition de votre enfant dès le premier exercice, puisqu'il s'agit d'une vue d'ensemble des concepts traités (aide au traitement simultané). Ainsi, il sera plus facile pour votre enfant de faire les liens nécessaires entre ce qu'il travaille dans ce cahier d'exercices et ce qu'il pourrait retrouver en classe, dans différents contextes.

De plus, dans la dernière section du cahier, vous trouverez des cartes concepts à découper (aide au traitement séquentiel). Une fois l'ouvrage terminé, l'enfant peut mélanger ces cartes et vérifier le niveau de ses connaissances un concept à la fois. Présentés sous forme de cartes recto verso, les concepts, associés à leurs mots clés, sont plus faciles à retenir.

Tout au long des exercices, vous remarquerez différents types de questionnements ; l'idée derrière cette variété est de favoriser la généralisation des apprentissages (vrai ou faux, dictées trouées, repérage d'erreurs).

En espérant que votre enfant trouve le plaisir de l'écriture dans cet ouvrage et qu'un certain intérêt pour notre belle langue naisse chez lui !

Sabrina Dufour, orthopédagogue

Métiers atypiques

À travers ce thème, tu pourras mettre en pratique tes connaissances en *lexique*.

Bonnes découvertes !

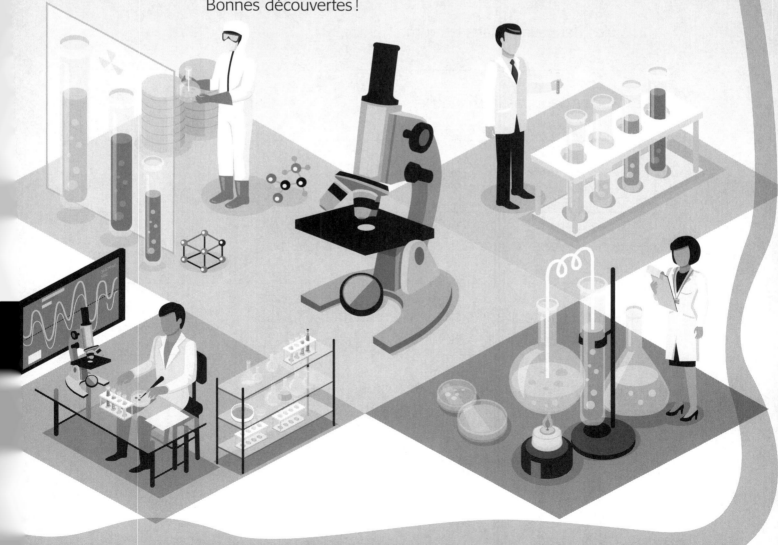

Le sens propre et le sens figuré

Le sens propre est utilisé afin de communiquer les choses comme elles sont. Le sens figuré, quant à lui, est utilisé pour s'exprimer à l'aide d'images. Il est souvent coloré et peut ajouter de la personnalité au discours utilisé. Par exemple, afin de décrire une grande charge de travail au sens propre, on dira *Il y a beaucoup de travail qui nous attend*. Si on décide d'utiliser le sens figuré, on pourra dire *On a du pain sur la planche*.

1. Voici plusieurs expressions au sens figuré qui sont couramment utilisées au Québec. En utilisant tes connaissances et le dictionnaire en cas de besoin, trouve leur signification et inscris au sens propre le message sous-entendu.

a) Tu as les deux pieds dans la même bottine.

_____

b) Le jeu n'en vaut pas la chandelle.

_____

c) Nous devrons tirer à la courte paille.

_____

d) Nous ne devons pas monter sur nos grands chevaux.

_____

e) J'ai tendance à couper les cheveux en quatre.

_____

f) Nous avons réussi contre vents et marées.

_____

g) Elle a mis les points sur les i.

_____

2. Afin de connaître davantage le langage figuré, associe les expressions de la colonne de gauche aux significations de la colonne de droite.

a) Avoir perdu la carte.

b) En dents de scie.

c) Faire la grasse matinée.

d) C'est une autre paire de manches.

e) Se serrer la ceinture.

1. Se lever tard, prendre son temps.

2. Tenter d'économiser, prévoir un budget.

3. Avoir des hauts et des bas.

4. Être dans une autre situation.

5. Être mêlé, ne plus avoir de repères.

3. Vrai ou faux? Encercle ton choix.

a) Le sens figuré est davantage utilisé dans un registre de langue soutenu que dans la langue populaire. Vrai Faux

b) La science qui étudie l'origine des mots s'appelle étymologie. Vrai Faux

Fais ton autoévaluation.

J'ai trouvé cette notion :

Encercle ton choix.

1	2	3	4	5	6	7	8	9	10

Facile Difficile

Le spéléologue secouriste

4. Dans cette dictée, souligne les expressions qui sont du langage figuré. Arriveras-tu à les trouver toutes les quatre ?

Il y a plus de dix ans que je pratique le métier de spéléologue secouriste. Vous savez ce que je fais, en tant que spéléologue ? En fait, je joue différents rôles, mais une chose est certaine, je suis au travail dans une partie cachée de la Terre : le sous-terrain. J'ai donc roulé ma bosse en me promenant d'un endroit à l'endroit à la recherche de nouveaux terrains de jeux, et surtout dans l'espoir de faire de belles découvertes. Ma dernière expédition, en Espagne, remonte à un peu plus d'une semaine. Lorsque nous sommes arrivés à bon port, la chaleur était accablante, et nous avons dû nous y habituer rapidement pour accomplir notre travail. La recherche était plus difficile que ce que l'on croyait, mais nous avons mis les bouchées doubles. Nos efforts ont été joyeusement récompensés avec une découverte qui a eu l'effet d'une bombe dans le milieu scientifique !

5. Voici une courte liste de mots utilisés dans les exercices de cet ouvrage et dont l'apprentissage est recommandé en 6e année. Afin de bâtir ton propre dictionnaire, inscris-les en ordre alphabétique dans un cahier.

sculpture	locataire
orphelin	parcours
autrefois	précision
dizaine	modestie
artisan	tragédie

Les antonymes

Les antonymes sont des mots dont le sens s'oppose ; ce sont des contraires.
Par exemple, *bavard* et *silencieux* sont des antonymes.

1. Écris l'antonyme du mot entre parenthèses et accorde-le au besoin en genre et en nombre. Attention au reste de la phrase, tu peux y trouver de précieux indices pour choisir tes réponses !

a) Nous traitons souvent de cette profession dans les (tragédie) _____ télévisuelles.

b) Les embauches sont en (réduction) _____ dans ce domaine.

c) Le taux de placement est très (inquiétant) _____ pour mes élèves.

d) Il ne s'agit pas d'une tâche facile de (libérer) _____ ces animaux.

e) Le mandat lui a été confié, puisqu'elle démontre une (lenteur) _____ d'exécution incroyable au travail.

f) Cette nouvelle technologie viendra grandement aider la (destruction) _____ de ce pont.

g) Le travail de nuit est souvent boudé, puisqu'il est difficile pour plusieurs employés de demeurer (endormi) _____.

h) Ce travail n'est manifestement pas pour quelqu'un de (brave) _____.

i) Malgré toutes les difficultés qu'elle a rencontrées durant ses années de travail, Denise n'a jamais eu envie d' (persévérer) _____ son équipe.

j) Le salaire annuel moyen pour cet emploi permet de vivre une vie (pénible) _____.

2. Associe chacun des adjectifs listés dans la colonne de gauche à son antonyme parmi ceux de la colonne de droite. N'hésite pas à utiliser le dictionnaire si le sens d'un adjectif doit être précisé !

flamboyant	faux
recyclé	sombre
indépendant	dépendant
commun	insolite
valable	neuf

3. Vrai ou faux ? Encercle ton choix.

a) Dans la langue anglaise, les antonymes portent le même   Vrai   Faux
nom, mais on l'écrit sans le e final, soit *antonyms*.

b) Parfois, deux mots sont des antonymes dans un contexte   Vrai   Faux
et pas dans un autre.

Fais ton autoévaluation.

J'ai trouvé cette notion :

Encercle ton choix.

1	2	3	4	5	6	7	8	9	10

Facile   Difficile

L'illusionniste

4. Trouve l'antonyme de chaque mot entre parenthèses. Tu peux consulter le dictionnaire pour vérifier tes hypothèses de travail.

Parfois, nous les voyons dans la rue, lors d'un souper-spectacle, ou encore à la télévision. Mais peu importe l'endroit, les illusionnistes nous impressionnent toujours parce qu'ils savent nous surprendre. Avec leurs mains agiles et leur discours enchanteur, ils savent nous transporter dans un univers où l'(explicite) _____ est maître. Tout réside dans les petits détails et dans une exécution chronométrée. Le numéro peut donc devenir (intéressant) _____ si tel mouvement arrive une seconde trop tard… Nous pouvons nous demander jusqu'où vont leurs capacités dans la vie de tous les jours. Sont-ils capables de faire (apparaître) _____ quelqu'un d'un claquement de doigts ou peuvent-ils se faire (injustice) _____ eux-mêmes? Bref, peu importe les secrets derrière les numéros présentés, nous pouvons croire que ce métier relève plus de l'art que de la magie!

5. Voici une courte liste de mots utilisés dans les exercices de cet ouvrage et dont l'apprentissage est recommandé en 6ᵉ année. Cependant, deux erreurs se sont glissées dans cette liste. Encercle les deux mots fautifs!

audasse	creux
distrès	feuillage
éternité	humain

Les préfixes

Les préfixes sont des éléments qui se placent en début de mots,
tout de suite avant l'élément central ou la racine du mot.
Par exemple, le préfixe *inter-* est ajouté en tête de plusieurs mots
afin de spécifier qu'il y a une relation *entre* des choses
(ex. : intergénérationnel, interurbain, international).

1. Trouve les préfixes utilisés dans les exemples ci-dessous et essaie de deviner leur signification. Encercle le préfixe de chaque mot souligné et inscris ton hypothèse sur la ligne.

a) Claire a dû changer de métier, car elle était hypersensible aux produits utilisés ici. Nous devrons être hypervigilants lors de nos prochaines embauches.

_____

b) Je viens tout juste d'envoyer un autoportrait à mon éditeur qui pourrait être utilisé dans mon autobiographie.

_____

c) Dans notre centre d'audiologie, nous pouvons demander aux clients de faire un audiogramme afin de bien évaluer leurs capacités.

_____

d) Ces cosmonautes, qui enseignent au Cosmodôme, peuvent témoigner de la grandeur et de la beauté du cosmos.

_____

e) Il y a plusieurs décennies, il n'était pas rare d'utiliser les électrochocs comme traitement en psychiatrie, alors qu'on couvrait les patients d'électrodes.

_____

2. Associe les préfixes listés dans la colonne de gauche aux significations proposées dans la colonne de droite.

a) <u>hypo</u>réactif, <u>hypo</u>allergique, <u>hypo</u>glycémie   1. avant

b) <u>ultra</u>moderne, <u>ultra</u>son, <u>ultra</u>sensible   2. sous

c) <u>centi</u>mètre, <u>centi</u>ème, <u>centi</u>le   3. correct

d) <u>anté</u>cédent, <u>anté</u>rieurement, <u>anté</u>riorité   4. au-delà

e) <u>ortho</u>dontiste, <u>ortho</u>pédagogue, <u>ortho</u>phoniste   5. cent

3. Vrai ou faux ? Encercle ton choix.

a) Aucun préfixe ne commence par la lettre *z* dans la langue française.   Vrai   Faux

b) Lorsque le mot formé d'un préfixe et d'une racine n'est pas scindé par un trait d'union, le préfixe ne doit jamais être accordé (ex. : des électrochocs).   Vrai   Faux

Fais ton autoévaluation.

J'ai trouvé cette notion :

Encercle ton choix.

1	2	3	4	5	6	7	8	9	10

Facile   Difficile

Profession : thanatologue

4. Ajoute les préfixes appropriés dans la dictée suivante en utilisant les indications entre parenthèses. N'oublie pas de lire en entier la phrase afin de valider ta réponse et de l'accorder correctement.

Depuis quatre générations, ma famille dirige dans notre région un centre funéraire. En fait, il s'agit également de notre maison. Bien des gens semblent effrayés lorsque je nomme le métier de mes parents. J'ai même des amis qui étaient (négatif) _____contents de venir chez moi la fin de semaine dernière. Cependant, lorsque nous avons la chance de bien expliquer ce que représente le travail fait par les thanatologues, les réactions sont moins (absence, non) _____normales. Bien certainement, nous pensons aux rites funéraires connus comme l'embaumement, mais nous oublions tous les autres aspects, comme la gestion, l'aide aux familles ou même le rôle de conseiller dans l'organisation des différentes étapes. Je n'ai pas honte de parler de la profession que ma famille a choisi d'exercer, bien au contraire. J'ai même fait ma demande d'admission au cégep afin de (achèvement) _____faire à mon tour toutes ces compétences difficiles à acquérir et à expliquer. Ainsi, je ne serai pas un (de soi-même) _____didacte.

5. Voici une courte liste de mots utilisés dans les exercices de cet ouvrage et dont l'apprentissage est recommandé en 6e année. Afin de bâtir ton propre dictionnaire, inscris-les en ordre alphabétique dans un cahier.

absence	envers
deuil	matinée
croyance	là-haut
itinéraire	aveugle
luxe	instinct

Les suffixes

Les suffixes sont des éléments qui s'ajoutent à la fin des mots, tout de suite après l'élément central ou la racine du mot. Par exemple, le suffixe *-logie* est ajouté à plusieurs mots afin de les définir comme des sciences (ex. : psychologie, biologie).

1. Trouve les suffixes utilisés dans les exemples ci-dessous et essaie de deviner leur signification. Encercle le suffixe de chaque mot souligné et inscris ton hypothèse sur la ligne. La même signification peut revenir dans différents exemples.

a) Ce métier lui convient très bien, car il devient <u>agressif</u> lorsqu'il n'est pas assez <u>actif</u>.

_____

b) Le chef doit savoir manier différents outils en cuisine comme un <u>hachoir</u>, une <u>passoire</u> ou encore un <u>séchoir</u> à pâtes.

_____

c) Ce journaliste doit toujours avoir son <u>téléphone</u> à portée de la main, puisqu'il s'en sert souvent comme <u>microphone</u> lors d'entrevues.

_____

d) Les scientifiques de ce laboratoire ne s'entendent pas sur la nature de l'alimentation de cette espèce. Était-elle <u>omnivore</u> ou <u>herbivore</u> ?

_____

e) Certaines notions apprises au secondaire me sont encore utiles dans mon travail, notamment l'étude des <u>polygones</u> comme les <u>hexagones</u> ou les <u>pentagones</u>.

_____

f) Dans certains cas, nos mesures se prennent plus facilement avec un <u>thermomètre</u>, alors que dans d'autres situations, nous préférons le <u>pyromètre</u>.

_____

2. Associe les suffixes listés dans la colonne de gauche aux significations proposées dans la colonne de droite.

a) claustro<u>phobie</u>, agora<u>phobie</u>, arachno<u>phobie</u>   1. collection

b) observat<u>oire</u>, conservat<u>oire</u>, parl<u>oir</u>   2. peur

c) filmo<u>thèque</u>, audio<u>thèque</u>, biblio<u>thèque</u>   3. lieu

d) nettoy<u>age</u>, repass<u>age</u>, mass<u>age</u>   4. origine

e) franç<u>ais</u>, polon<u>ais</u>, portug<u>ais</u>   5. action

3. Vrai ou faux ? Encercle ton choix.

a) Les suffixes peuvent être d'une grande utilité pour analyser   Vrai   Faux
un mot inconnu.

b) Le suffixe change toujours la classe du mot auquel   Vrai   Faux
il s'ajoute.

Fais ton autoévaluation.

J'ai trouvé cette notion :

Encercle ton choix.

1	2	3	4	5	6	7	8	9	10

Facile   Difficile

Un verbi... quoi ?

4. Ajoute les mots appropriés dans ce texte en suivant les indications entre parenthèses. N'oublie pas de lire la phrase en entier afin de valider ta réponse et de l'accorder correctement.

Le téléphone sonne et personne ne répond. Pourtant, nous sommes tous en congé et mes parents devraient être à l'étage. Je me lève donc (**de façon** précipitée) _____ afin de décrocher avant la dernière sonnerie. Au bout du fil, un (**métier de** vente) _____ désire discuter avec ma mère. Je trouve finalement tout le monde au salon. Mon père est confortablement installé dans son fauteuil à boire un thé (**vient de** l'Écosse) _____, ma sœur est en plein (**action de** bavarder) _____ avec ma cousine sur son cellulaire et ma mère joue une partie d'échecs à l'ordinateur. Elle me demande qui téléphone. Je l'informe que l'homme se présente comme étant un verbicruciste du journal local. Maman semble heureuse et mon père roule des yeux en m'informant qu'un verbicruciste est un auteur de mots croisés. Incapable de prononcer le nom de ce métier, je retourne (**de façon** paisible) _____ au sous-sol en espérant retrouver le sommeil.

5. Voici une courte liste de mots utilisés dans les exercices de cet ouvrage et dont l'apprentissage est recommandé en 6e année. Cependant, deux erreurs se sont glissées dans cette liste. Encercle les deux mots fautifs !

apprentissage   tragédie

musicien   librairie

tantot   parcour

Les mots génériques

Les mots génériques sont utilisés afin de créer des catégories de sens pour décrire des êtres ou des objets. Ce sont de grandes familles de mots spécifiques réunis sous un terme global. Par exemple, le mot générique *meuble* pourrait être utilisé afin de réunir les mots spécifiques *table, chaise, causeuse, lit* et *commode*.

1. Choisis le bon mot générique parmi ceux entre parenthèses qui pourrait remplacer le ou les mots spécifiques soulignés dans chaque énoncé. Encercle ta réponse. N'hésite pas à vérifier ta réponse dans ton dictionnaire.

a) L'horticulteur doit savoir différencier les <u>pétunias</u> des <u>orchidées</u> ou des <u>lys</u>. (êtres vivants, fleurs, arbustes)

b) Sur l'heure du dîner, Raphaël adore préparer des sandwichs pour tous ses collègues en prenant soin d'y ajouter de la <u>moutarde</u>, de la <u>mayonnaise</u> ou du <u>beurre</u> au goût de chacun. (sauces, conserves, condiments)

c) Le chef adore cuisiner des mets indiens, puisqu'il peut découvrir le <u>cumin</u>, le <u>curcuma</u> et le <u>cari</u>. (épices, sels, légumes)

d) Le <u>cor français</u>, la <u>trompette</u> et le <u>trombone</u> font partie d'une même grande famille musicale. (loisirs, instruments, appareils)

e) Cet architecte aménage son nouveau bureau et demande à ce qu'un <u>lustre</u>, une <u>lampe de table</u> ainsi qu'une <u>lumière murale</u> soient installés. (décoration, meubles, luminaires)

f) Emma se prépare pour son entrevue et hésite entre mettre ses <u>bottillons</u>, ses <u>souliers</u> ou ses <u>bottes</u>. (chaussures, chaussettes, survêtements)

g) Lors de son entretien ménager, Claudie remarque qu'elle devra acheter un <u>savon pour la vaisselle</u>, un <u>détergent à lessive</u> et une <u>crème de polissage</u> pour le four. (produits pharmaceutiques, produits ménagers, produits cosmétiques)

2. Tu as sans doute remarqué un peu partout dans ton quotidien (à l'école, au resto) qu'on utilise beaucoup de mots génériques. En voici quelques-uns dans la rangée du haut. À l'aide des choix de réponses proposés dans la rangée du bas, fais les associations. Tu peux utiliser ton dictionnaire pour t'aider.

a) produits laitiers   b) ouvrages   c) professionnels   d) habitations   e) conifères

crème	pin	encyclopédie	psychologue	appartement
yogourt	mélèze	recueil	ergothérapeute	condo
crème glacée	sapin	dictionnaire	avocat	manoir

3. Vrai ou faux ? Encercle ton choix.

a) Il existe toujours un lien de sens entre le terme générique et ses mots spécifiques.   Vrai   Faux

b) Le lien de sens identifié entre eux peut être abstrait ou concret.   Vrai   Faux

Fais ton autoévaluation.

J'ai trouvé cette notion :

Encercle ton choix.

| 1 | 2 | 3 | 4 | 5 | 6 | 7 | 8 | 9 | 10 |

Facile   Difficile

Le client mystère

4. Dans ce court texte, inscris sous chaque mot générique souligné un mot spécifique qui est dans la même catégorie de sens. Par exemple, avec le nom générique <u>moyens de transport</u>, nous pourrions utiliser les mots spécifiques <u>autobus</u>, <u>taxi</u> ou <u>train</u>. Regarde le reste de la phrase afin de bien choisir ta réponse.

C'est ma première soirée en tant que client mystère pour une

_____

compagnie d'enquêtes commerciales. Ma première mission : évaluer un

_____

restaurant de mon coin. Je crois que je vais aimer ce travail ! J'entre dans

_____

l'établissement et la jeune fille à l'accueil m'indique ma <u>meuble</u>. Le

_____

décor me plaît, et jusqu'à présent, le service est chaleureux. Le serveur

_____

m'apporte le menu et je décide d'essayer leur délicieuse <u>entrée</u> chaude

_____

au brocoli. Un impressionnant choix de <u>boissons</u> de fruits est au menu,

_____

et je me laisse tenter par le cocktail à la mangue. Tout en savourant

_____

mon excellent <u>repas</u>, je regarde le soleil se coucher à l'horizon. Je règle

_____

ma facture et me dirige vers <u>mon véhicule</u> qui est stationné(e) tout

_____

près. J'ai bien l'intention d'écrire un commentaire positif sur ce resto !

_____

Les grandes inventions d'ici

À travers ce thème, tu pourras mettre en pratique tes connaissances en *accords*.

Bonnes découvertes !

EURÊKA !

Les déterminants

Un déterminant est un mot placé devant un nom afin de l'introduire et de le préciser. Il existe des déterminants démonstratifs. Par exemple, le déterminant *ces* est placé devant le nom étagères afin de préciser de quelles étagères on parle : *Vous devez peinturer ces étagères*. Il y a aussi des déterminants qui désignent une notion de lien avec un objet ou une personne, comme *leurs* ou *votre*. Ce sont des déterminants possessifs.

1. Ajoute le déterminant qui convient le mieux dans les énoncés suivants. Fais ton choix parmi les déterminants dans l'encadré et indique s'il s'agit d'un déterminant possessif ou démonstratif.

Cette	Mes	Mon	Leurs	Notre	
Ce	Ces	Vos	Ma		

possessif démonstratif

a) _____ expérience n'a pas été satisfaisante. Nous devrons recommencer. ☐ ☐

b) Les enfants de cette école participent à l'étude de _____ oncle. ☐ ☐

c) _____ génie des mathématiques fera le lancement de sa dernière publication demain. ☐ ☐

d) _____ brevets nous permettront d'aller chercher plusieurs investisseurs. J'ai donc contribué à l'avancement de la science. ☐ ☐

e) Dans ce résumé, vous nous faites part de _____ inquiétudes et d'éventuelles questions. ☐ ☐

f) _____ bagages sont si lourds qu'ils devront payer un surplus à l'aéroport. ☐ ☐

2. Associe les déterminants listés dans la colonne de gauche aux phrases (énoncés) proposées dans la colonne de droite. Plusieurs réponses sont possibles.

Ses   enfants provenant de la même grossesse sont dits jumeaux.

Plusieurs   laboratoire doit être complètement rénové.

Deux   études suggèrent de cesser l'utilisation de ce produit.

Votre   avantages demeurent encore à découvrir.

Mon   opinion est très importante dans notre processus de recherche.

3. Vrai ou faux? Encercle ton choix.

a) Les nombres (1, 2, 3...) ne sont pas des déterminants.   Vrai Faux

b) Le type du déterminant utilisé (possessif ou démonstratif) Vrai Faux
est directement relié à son genre et son nombre.

Fais ton autoévaluation.

J'ai trouvé cette notion :

Encercle ton choix.

1	2	3	4	5	6	7	8	9	10

Facile   Difficile

Pas besoin d'air !

4. Choisis, parmi les déterminants proposés dans l'encadré, celui qui complète le mieux chacun des énoncés du texte. N'oublie pas de vérifier l'accord du déterminant choisi.

au l' ce certains cinq quelques un aucune ces

Lorsque nous parlons d'inventions ayant changé le monde, nous avons rapidement en tête des images de fusées ou encore d'un médicament qui nous protégerait contre toutes les maladies. Mais, souvent, _____ inventions marquantes des _____ dernières décennies se cachent dans de bien petites choses du quotidien. _____ bon exemple de chez nous vient de la ville de Drummondville, où monsieur Jean St-Germain habitait. Il est l'homme derrière le concept des biberons sans air actuellement commercialisés. Lorsqu'il était à peine âgé de 16 ans, _____ dernier a vendu _____ idée à une grande compagnie pour la somme de 1000 $. Depuis cette invention, des millions de biberons de ce genre se sont vendus un peu partout dans le monde !

5. Voici une courte liste de mots utilisés dans les exercices de cet ouvrage et dont l'apprentissage est recommandé en 6e année. Cependant, deux erreurs se sont glissées dans cette liste. Encercle les deux mots fautifs !

carré	psychologie
éternité	moustic
géographi	photographe

Les adjectifs

Les adjectifs complètent les noms et se placent généralement après ceux-ci (quelquefois devant). Ils s'accordent en genre et en nombre avec le nom qu'ils accompagnent. (Ex. : *Une histoire fantastique.*)

1. Ajoute l'adjectif qui convient le mieux dans les exemples suivants parmi les choix dans l'encadré. N'oublie pas d'accorder chaque adjectif avec le nom qu'il accompagne.

compétent	curieux	gourmand	rond	intéressant
détendu	bleu	résistant	carré	

a) Ce sujet semble suffisamment _____ pour retenir l'attention du public.

b) Mon inspiration me vient de ce magnifique ciel _____.

c) Après avoir reçu les résultats tant attendus, l'équipe semblait _____.

d) Plus jeune, ce scientifique se faisait remarquer par son côté _____, surtout dans ses cours de chimie.

e) Rien ne sert de continuer, refaisons cette structure _____.

f) Avec son appétit insatiable, cette femme _____ a terminé sa boîte de chocolats rapidement.

g) Le matériel utilisé dans cet essai devra être modifié. Il est trop _____ à la chaleur.

h) Nous devrons nous procurer une table _____ puisque la ronde ne convient pas à cet espace.

2. Parmi les mots ci-dessous, on retrouve plusieurs classes de mots mélangées. À l'aide des informations de la page précédente, détermine lesquels sont des adjectifs et encercle-les.

plat	économique	rayé
élément	aviation	ouverte
passage	tous	éteint
perdu	neuf	mélange
pays	agriculture	rangement

3. Vrai ou faux? Encercle ton choix.

a) Pour un adjectif accordé au masculin ou au féminin, la terminaison est parfois complètement différente.　　Vrai　Faux

b) Certains adjectifs courants peuvent également être des adverbes, selon le contexte.　　Vrai　Faux

Fais ton autoévaluation.

J'ai trouvé cette notion :

Encercle ton choix.

1	2	3	4	5	6	7	8	9	10

Facile　　　　　　　　　　　　　　　　　Difficile

La motoneige

4. Dans ce texte, repère au moins dix adjectifs et vérifie si leur accord est correct. Si tu constates une erreur, fais la correction sur la ligne prévue à cet effet.

Mon père semble de très bon humeur ce matin et il se promène dans la maison en

_____

sifflant un air enjouée. En arrivant dans ma chambre, il m'annonce qu'il vient de se

_____

procurer une motoneige neuf et que l'on part pour la fin de semaine afin d'en faire

_____

l'essai. Depuis quatre longue années, je rêve de ces promenades excitantes sur la

_____

neige avec mes parents. J'ai tellement hâte d'explorer les petites forêts ou encore les

_____

villages qui me sont toujours inconnu. Je m'empresse de faire ma gros valise et je

_____

rejoins mes parents, qui sont déjà dans le camion. Vous saviez que c'est au Québec

_____

qu'a été créée la première voiture à neige? C'est logique, quand on y pense : c'est ici

_____

que les conditions sont les plus belle pour l'utiliser!

_____

5. Voici une courte liste de mots utilisés dans les exercices de cet ouvrage et dont l'apprentissage est recommandé en 6ᵉ année. Afin de bâtir ton propre dictionnaire, inscris-les en ordre alphabétique dans un cahier.

| lessive | pouce | moyenne | rasoir | sirop |
| futur | passeport | saleté | sympathie | rhume |

Les pronoms

Le pronom est utilisé pour remplacer un mot ou un groupe de mots dans une phrase. Les pronoms prennent le genre et le nombre du mot qu'ils remplacent (ex.: Chad est malade ce matin. Il n'ira pas travailler). Il existe différents types de pronoms, comme les pronoms personnels, qui indiquent la personne grammaticale (ex.: *je, nous, ils*), les pronoms démonstratifs, qui montrent de qui ou quoi on parle (ex.: *ceux-là*), ou encore les pronoms possessifs, qui établissent la possession (ex.: *la mienne, le tien*).

1. Trouve le pronom qui convient le mieux dans les exemples suivants parmi les choix dans l'encadré. Plusieurs réponses sont possibles.

celui-là	la mienne	je	la sienne
il	celle-ci	nous	elle

a) Ta dernière idée est meilleure que _____. Simon ne gagnera pas, cette fois.

b) _____ préférera te laisser choisir comment la nouvelle sera annoncée.

c) Mylène devra revenir au bureau rapidement. _____ y a été convoquée.

d) À ma grande surprise, _____ peux proposer ma candidature et être éligible au prix de la plus grande invention.

e) Nos deux maisons se ressemblent, mais _____ est un peu plus petite que la sienne.

f) _____ serions très heureux de vous recevoir bientôt.

g) Celui-ci nous permettrait d'obtenir plus de vitesse alors que _____ nous assure une qualité de fabrication.

2. Associe les pronoms listés dans la colonne de gauche aux phrases (énoncés) proposées dans la colonne de droite. Plusieurs réponses sont possibles ; chaque pronom peut être choisi plus d'une fois.

celles-là   Cette idée surpassera _____ puisque
                   nous avions oublié un facteur important.

eux   Les installations de Pierre semblent moins solides
                   que _____.

toi   Ce sont _____ qui devraient porter le blâme.

la nôtre   _____ et moi serons toujours en accord sur ce sujet.

les siennes   J'ai cru voir celles-ci avant Béatrice, elle qui a vite repéré
                   _____.

3. Vrai ou faux? Encercle ton choix.

a) Certains pronoms, lorsque placés devant une voyelle ou   Vrai   Faux
   un *h* muet, voient leur terminaison modifiée (ex. : *je* se
   transformera en *j'*).

b) *Notre* et *votre* sont déterminants lorsqu'ils s'écrivent ainsi,   Vrai   Faux
   sans accent circonflexe.

Fais ton autoévaluation.

J'ai trouvé cette notion :

Encercle ton choix.

1	2	3	4	5	6	7	8	9	10

Facile   Difficile

Taxi ou BIXI ?

4. Choisis le pronom parmi ceux proposés entre parenthèses qui remplace le mieux les mots soulignés dans la phrase. Encercle ta réponse et n'oublie pas de vérifier l'accord de celle-ci !

Montréal est l'une des villes les plus importantes au pays, et comme vous (le, la, les) savez sans doute déjà, <u>qui dit grande ville dit circulation compliquée</u>. Il y a quelques années déjà, une idée pas ordinaire a vu le jour grâce au projet BIXI-Montréal. <u>Le concept</u> est simple et se veut facile d'utilisation pour les usagers. (Il, Lui, Celle-là) s'agit d'un service de location de vélos libre-service. Un peu comme lorsque nous allons faire le plein d'essence à la pompe ! <u>Les utilisateurs</u> n'ont qu'à se présenter à l'une des nombreuses stations de vélos existantes, à payer le forfait désiré, et (ceux-là, les, le) voilà partis vers leur destination. <u>Les usagers</u> n'auront aucun souci de circulation grâce à (son, votre, leur) moyen de transport ; ils arriveront à bon port en un rien de temps. De plus, ils profiteront d'une petite séance d'exercice et feront attention à cette <u>belle planète</u> qu'est (la vôtre, la notre, la nôtre) !

5. Voici une courte liste de mots utilisés dans les exercices de cet ouvrage et dont l'apprentissage est recommandé en 6ᵉ année. Cependant, deux erreurs se sont glissées dans cette liste. Encercle les deux mots fautifs !

poummon	odorat
achat	mince
facade	comique

Les adverbes

Les adverbes, qui sont toujours invariables, ajoutent une précision ou modifient le sens d'un mot, généralement un adjectif ou un verbe. Les adverbes sont supprimables dans la phrase ; cette action ne change pas l'essence du message, mais peut faire varier son intensité. Par exemple : *Il dessine* et *Il dessine bien* sont deux messages semblables, mais l'ajout de l'adverbe *bien* modifie le second.

1. Choisis le bon adverbe parmi ceux entre parenthèses afin de modifier le mot souligné. N'hésite pas à consulter le dictionnaire en cas de doute ! Encercle ta réponse.

a) Il lui <u>donna</u> son accord (lentement, aveuglément, certainement), sans trop réfléchir.

b) (Localement, Lourdement, Dernièrement), nous avons <u>remarqué</u> de gros changements dans son comportement.

c) Nous sommes obligés de comparer les <u>recherches</u> d'ici et (de près, d'ailleurs, de loin).

d) Depuis la publication de ces travaux, on en entend <u>parler</u> (derrière, auparavant, partout).

e) Elle <u>a</u> (jamais, nullement, tellement) <u>tenu</u> à rester discrète que le contraire s'est produit, et ce, contre son gré.

f) Les locaux sont devenus (trop, justement, quasiment) <u>petits</u> : nous devrons déménager sous peu.

g) Je <u>vérifierai</u> ces informations juste (pendant, après, avant) le match, qui est commencé depuis quelques minutes déjà.

h) Ce <u>buffet</u> (à volonté, au-delà, à temps) saura combler notre appétit.

Les adverbes

2. À ton tour maintenant de trouver de nouveaux adverbes ! Trouve l'adverbe qui modifie le mieux les mots suivants. Attention ! Tu dois conserver le sens du message de départ. Plusieurs réponses sont possibles.

a) Je vais _____ choisir le gris, puisqu'il s'agit de ma couleur préférée.

b) _____, je ne possède pas sa richesse, mais je peux tout de même défendre mon point.

c) _____, je vais devoir vérifier vos sources, et par la suite, nous procéderons à la diffusion de l'information.

d) En cherchant dans les différents sites d'informations, je trouverai _____ quelques indices.

e) Mon collègue a toujours su comment expliquer _____ les conséquences des mauvaises décisions aux apprentis.

3. Vrai ou faux ? Encercle ton choix.

a) Tous les adverbes sont formés à partir d'un adjectif auquel on ajoute la terminaison *-ment* (ex. : sage : sagement).   Vrai   Faux

b) Dans la phrase, l'adverbe constitue le noyau du groupe adverbial.   Vrai   Faux

---

Fais ton autoévaluation.

J'ai trouvé cette notion :

Encercle ton choix.

1	2	3	4	5	6	7	8	9	10

Facile   Difficile

Prêt pour une tempête

4. Ajoute les adverbes appropriés dans ce texte en suivant le sens suggéré entre parenthèses. N'oublie pas de lire chaque phrase en entier afin de valider ta réponse.

Journée de tempête, journée de congé d'école ! J'adore la neige pour plusieurs raisons, mais je crois que ces congés forcés figurent en tête de liste. On annonce encore quelques centimètres durant la journée et il fait un soleil magnifique (extérieur) _____. Même mes parents ne peuvent sortir leur voiture du garage. Mon père devra (de façon affirmative) _____ utiliser sa souffleuse toute la journée afin d'éviter les accumulations excessives. Durant ces tempêtes, il est difficile d'imaginer notre quotidien sans déneigeuses ou souffleuses sillonnant la ville. Grâce à de brillants inventeurs canadiens, nous pouvons (ce jour) _____ revenir à nos occupations (rapide) _____ après une immense bordée de neige. Bref, je suis bien fier de nos génies canadiens, mais leurs bonnes idées m'empêchent quand même de prolonger mon congé sur plusieurs jours !

5. Voici une courte liste de mots utilisés dans les exercices de cet ouvrage et dont l'apprentissage est recommandé en 6ᵉ année. Afin de bâtir ton propre dictionnaire, inscris-les en ordre alphabétique dans un cahier.

miel	indépendance
politesse	logique
sourd	jumeau
taureau	expert
sergent	durée

Les prépositions

Afin d'introduire un complément dans la phrase, on utilise souvent un mot de liaison nommé préposition. La préposition est toujours invariable et elle ne peut être ni déplacée ni effacée. Les prépositions peuvent être simples (à, de, pour) ou complexes (à travers, jusqu'à).

1. Choisis la bonne préposition parmi celles entre parenthèses afin d'unir ces énoncés. Encercle ta réponse.

a) J'ai accepté ce contrat à l'extérieur du pays (hors, jusqu'à, malgré) moi.

b) Les deux femmes ont démontré une force de caractère (sauf, selon, depuis) le début de leur carrière.

c) (Jusqu'à, Sous, Chez) Lambert, personne n'est autorisé à visiter le bureau situé au deuxième étage.

d) Il sera primordial de demeurer très concentré (par, sans, pendant) les semaines à venir.

e) L'équipe de recherche est en route (afin de, d'avec, vers) le site d'exploration.

f) (Hormis, De peur de, Devant) cette évidence, les donateurs potentiels se sont ravisés.

g) J'ai décidé qu'après mes études, je suivrais les traces de mon père, (avec, pendant, contre) son gré…

h) Vous pourriez poser votre candidature (sauf, à condition de, afin de) promettre de déménager tout près.

2. Associe les prépositions listées dans la colonne de gauche aux phrases (énoncés) proposées dans la colonne de droite. Plusieurs réponses sont possibles ; chaque préposition peut être choisie plus d'une fois.

afin de

Les étudiants doivent tous remplir ce questionnaire de stage, _____ les anciens stagiaires.

hors de

Les lois changent beaucoup lorsque notre travail se fait _____ notre territoire habituel.

en

Il demeure difficile de faire un choix _____ tous les domaines offerts par cette école spécialisée.

parmi

Cette liste contient différentes formules utilisées _____ chimie avancée.

sauf

Cette ressource a été proposée _____ nous enlever un peu de travail.

3. Vrai ou faux ? Encercle ton choix.

a) La préposition *de* ne doit pas être utilisée devant une autre préposition.　　　　Vrai　　Faux

b) On peut décomposer n'importe quelle préposition et elle conservera ses caractéristiques (ex. : *depuis = de puis*).　　　　Vrai　　Faux

Fais ton autoévaluation.

J'ai trouvé cette notion :

Encercle ton choix.

1	2	3	4	5	6	7	8	9	10

Facile　　　　　　　　　　　　　　　　　　　　　　　　Difficile

Un goût bien connu

4. Choisis, parmi les prépositions proposées entre parenthèses, celle qui convient le mieux dans les phrases suivantes. Encercle ta réponse.

Pour plusieurs Québécois, le rituel du matin comprend un bon déjeuner (pendant, sans, avec) plusieurs ingrédients variés. Cependant, un chouchou tant des petits que des grands revient toujours dans la liste des essentiels du déjeuner, et ce, depuis plusieurs années : le beurre d'arachide. Qu'on apprécie sa texture crémeuse ou encore son croquant, dans certaines versions, il n'en demeure pas moins qu'il s'agit d'un incontournable (par, pour, contre) plusieurs familles. Si l'on en croit la petite histoire du beurre d'arachide, ce serait un pharmacien québécois qui en aurait concocté le premier (pour, an, en) voulant offrir à quelques patients un aliment nutritif, mais qui soit un peu plus facile à mastiquer. Il aurait donc ajouté un peu de sucre (dans, dent, pendant) une pâte d'arachide et voilà, le tour était joué ! Gageons qu'à l'époque, il n'avait pas prévu la popularité de cette idée savoureuse !

5. Voici une courte liste de mots utilisés dans les exercices de cet ouvrage et dont l'apprentissage est recommandé en 6ᵉ année. Cependant, deux erreurs se sont glissées dans cette liste. Encercle les deux mots fautifs !

brochure	cavalier
chaufeur	griffe
édifise	écurie

Métiers d'arts

À ce thème, tu pourras mettre en pratique tes connaissances en *orthographe d'usage*.

Bonnes découvertes !

L'emploi de la majuscule

La lettre majuscule en début de phrase est bien connue, mais on l'utilise également au début des noms propres de personnes, des noms de lieux ou de peuples. On doit donc écrire un *Canadien* pour nommer un habitant du Canada. Cependant, un même mot peut s'écrire avec une majuscule initiale lorsqu'il s'agit d'un nom, mais être tout en minuscules lorsqu'il est adjectif (ex. : *Un Canadien habite ici*, mais *Je veux un meuble canadien*).

1. Ajoute la première lettre des mots à compléter en employant une majuscule ou une minuscule selon le contexte et les règles citées précédemment. Utilise le dictionnaire au besoin.

a) Plusieurs inventeurs ___uébécois exportent leur savoir à l'extérieur des frontières ___anadiennes.

b) L'___ntario se classe bon deuxième dans notre liste ___édérale.

c) Mme ___remblay ne peut nous répondre et devra s'adresser à M. ___obert, qui se trouve actuellement en ___ustralie.

d) Le fleuve ___aint-___aurent est reconnu pour sa grandeur et sa beauté à travers le ___onde entier.

e) Les ___odin se rassemblent toujours la veille de ___oël.

f) Le ___uébec est souvent cité en exemple pour ses ouvrages au sujet des ___nuits.

g) ___élix-Antoine et sa ___œur seront présents lors de votre évènement-bénéfice au profit du centre hospitalier ___ainte-___ustine.

2. Classe tous les éléments de cette liste dans la bonne colonne en vérifiant si le mot souligné prend une majuscule ou une minuscule. Utilise le dictionnaire au besoin.

il va en <u>afrique</u> l'océan <u>pacifique</u> ma nièce <u>clara</u>	

il va en <u>afrique</u>   l'océan <u>pacifique</u>   ma nièce <u>clara</u>

un vieillard <u>montréalais</u>   le prince de <u>cendrillon</u>

un bel <u>amérindien</u>   la <u>femme</u> au parapluie

tu vois l'<u>océan</u>   <u>paris</u>, la ville qui brille   on y sera <u>jeudi</u>

Majuscule	Minuscule

3. Vrai ou faux? Encercle ton choix.

a) Les noms des planètes prennent toujours une majuscule.   Vrai   Faux

b) Plusieurs fêtes célébrées au Québec prennent une   Vrai   Faux
   majuscule initiale.

Fais ton autoévaluation.

J'ai trouvé cette notion :

Encercle ton choix.

1	2	3	4	5	6	7	8	9	10

Facile   Difficile

Souffleur... de verre

4. Voici un court texte où plusieurs mots débutent par une majuscule. Cependant, quelques erreurs se sont glissées dans ce texte. Souligne tous les noms ayant une majuscule initiale. Si tu constates une erreur, fais la correction sur la ligne prévue à cet effet.

Artistes verriers ou souffleurs de verre : peu importe comment on les nomme, ce

_____

sont de véritables créateurs. L'origine de ce métier semble remonter jusqu'aux

_____

Phéniciens ou aux Babyloniens. Peu importe le Peuple, le verre soufflé touche

_____

plusieurs époques de notre histoire. De nos jours, les Artistes travaillent le verre à

_____

une chaleur impressionnante afin de faire ressortir toutes les transparences et la

_____

profondeur des pièces conçues. Certains souffleurs sont même devenus célèbres

_____

Internationalement grâce à leur travail du verre soufflé. On peut penser à l'Américain

_____

Dave Chihuly, qui a fait une exposition au Musée des Beaux-Arts de Montréal il y a

_____

quelques années.

_____

L'écriture des nombres

Les nombres peuvent être écrits autant en chiffres qu'en lettres. L'écriture en lettres demande de suivre quelques règles afin d'éviter les erreurs. On lie par un trait d'union deux numéraux inférieurs à 100 dans les nombres complexes[1] (ex. : *trente-quatre*). De plus, les nombres *cent* et *vingt* prennent la marque du pluriel lorsqu'ils sont multipliés et qu'ils terminent un nombre. Finalement, les adresses, les dates ou les numéros de page sont invariables.

1. Vérifie l'écriture des nombres dans les exemples suivants. Au besoin, fais les corrections nécessaires sur la ligne prévue à cet effet.

a) Voici votre chèque de <u>trente-neuf milles</u> dollars.

_____

b) Nous vous donnons donc rendez-vous au <u>quatre-cents</u>, boulevard Lima.

_____

c) Selon cette enquête, environ <u>cent-cinquante</u> personnes doivent y retourner plus d'une fois dans leur vie.

_____

d) Cette bâtisse doit faire au moins <u>quatre-vingts-cinq</u> mètres de haut.

_____

e) Cette ampoule doit être changée par une autre qui consomme au plus <u>soixantes</u> watts à l'heure.

_____

f) Lorsque vous aurez terminé les pages <u>trente-six</u> et <u>quarante-deux</u>, vous corrigerez le chapitre <u>treizes</u> en entier.

_____

g) Après <u>vingt deux</u> ans de mariage, ils ne pouvaient plus habiter ensemble dans leur merveilleuse maison des années <u>vingts</u>.

_____

2. Classe chaque nombre de cette liste dans la bonne colonne en vérifiant s'il contient une erreur ou s'il est bien écrit. Relis les règles de la page précédente en cas de doute.

quatre livres	quatre-vingt-huit pommes
trois milles personnes	trois-mille-quatre-cents poules
trente-un chevaux	page quarante-quatre

Forme correcte	Forme fautive

3. Vrai ou faux? Encercle ton choix.

a) Lorsque nous écrivons en lettres des fractions, nous ne devons pas mettre de trait d'union entre le numérateur et le dénominateur.   Vrai   Faux

b) Les fractions en lettres ne prennent jamais les marques du pluriel.   Vrai   Faux

Fais ton autoévaluation.

J'ai trouvé cette notion :

Encercle ton choix.

1	2	3	4	5	6	7	8	9	10

Facile   Difficile

Le chapelier

4. Vérifie l'écriture des nombres soulignés dans ce texte. Au besoin, fais les corrections nécessaires sur la ligne prévue à cet effet.

Vous connaissez le chapelier fou dans *Alice au pays des merveilles*? Il s'agit

_____

effectivement d'un personnage assez coloré aux <u>mille et une</u> habitudes loufoques!

_____

Et vous savez pourquoi il porte ce nom? Peut-être avez-vous fait le lien avec

_____

son chapeau assez proéminent! De nos jours, le métier de chapelier est moins

_____

connu, mais jusqu'aux années <u>mille-neuf-cents-cinquante</u>, toutes les grandes villes

_____

avaient le leur (et pas fou du tout!). Le chapelier est un fabricant et un vendeur

_____

de chapeaux classiques pour hommes et femmes. Selon sa créativité, le chapelier

_____

pouvait jadis offrir un chapeau avec <u>vingt-une</u> fleurs ou encore <u>deux-cents</u> perles à

_____

une dame cherchant à égayer sa tenue de soirée. Heureusement, dans les années

_____

<u>deux-milles</u>, ce métier d'art a su demeurer présent; le chapeau reste un petit luxe

_____

qu'on aime s'offrir!

_____

5. Voici une courte liste de mots utilisés dans les exercices de cet ouvrage et dont l'apprentissage est recommandé en 6ᵉ année. Cependant, deux erreurs se sont glissées dans cette liste. Encercle les deux mots fautifs!

caprice	fuir	mâchoir
c'est-à-dire	adition	

L'orthographe des mots

Dans les prochains exercices, nous allons nous amuser avec l'orthographe de mots que tu connais peut-être ou que tu pourras ajouter à ton dictionnaire personnel. Prête bien attention à tes réponses, car celles-ci t'aideront dans la dictée un peu plus loin.

1. Dans les énoncés suivants, encercle le mot entre parenthèses qui présente la bonne orthographe. Tu peux t'aider du dictionnaire en cas de besoin.

a) Certains peintres préfèrent pratiquer leur art sur de la vaisselle, comme sur une (asiette, assiete, assiette) ou une tasse.

b) Puisque le métier de sculpteur n'est pas toujours facile, il faut avoir une passion (intence, intense, intanse) pour se bâtir une carrière.

c) L'inspiration des artistes peut se trouver dans tous les objets du quotidien, même dans un (dictionnaire, dictionaire, dictionnère) !

d) Selon l'(engle, angle, angl) d'observation, une œuvre peut être interprétée de différentes façons.

e) Je viens juste de recevoir ce gros (koli, coli, colis), qui arrive tout droit d'Europe.

f) Si l'on se fie à cette ancienne (croyance, croyence, croience) japonaise, les métiers d'art seraient bénis.

g) Les souffleurs de verre doivent être très prudents afin d'éviter les (brûlur, brûlures, brûllures).

h) Le port de la (blouze, blousse, blouse) de protection est vivement recommandé en poterie.

i) Quelques artistes (célèbres, sélèbres, séllèbres) peuvent se vanter d'être reconnus lors de voyages à l'extérieur du pays.

j) Cette soirée de (consert, concer, concert) servira à financer les soins destinés aux enfants.

k) En plus d'être magnifique, ce tableau nous permettra de créer une (divizion, division, divission) entre les deux bureaux.

l) Depuis qu'il est (gamain, gamin, gamein), il rêve de créer une nouvelle forme d'art.

2. À ton tour maintenant de trouver de nouveaux mots ! Associe chaque définition proposée dans la colonne de gauche à un des mots de la colonne de droite. Si certains de ces mots ne te sont pas familiers, utilise le dictionnaire.

a) Action de réclamer quelque chose.

b) Action faite dans un but de prévention des risques.

c) Territoire ou surface terrestre d'une des parties de la Terre.

d) Forme de respect démontrée à quelqu'un.

e) Quelqu'un qui a quitté son pays d'origine afin d'échapper à un danger.

f) Contrat donné ou reçu afin d'accomplir quelque chose pour quelqu'un.

1. mandat

2. revendication

3. politesse

4. précaution

5. continent

6. réfugié

3. Vrai ou faux ? Encercle ton choix.

a) Certains mots peuvent s'écrire de deux façons différentes, toutes deux acceptées par les dictionnaires.   Vrai   Faux

b) Quelques mots invariables se terminent toujours par un *s*, même au singulier.   Vrai   Faux

Vous avez dit luthier?

4. Dans ce court texte, encercle le mot correctement orthographié parmi les choix de réponses. N'oublie pas de vérifier les accords, s'il y a lieu, avant de confirmer ton choix.

C'est le grand jour! Parents et amis se sont réunis pour assister à mon premier concert de violon. Je suis confiant, je connais bien mes partitions et je peux pratiquement les jouer les yeux fermés. Plus que quelques minutes avant mon (entré, entrée, entrer) en scène ; je ferais mieux de sortir mon violon et mon (caier, cahié, cahier) de préparation. Catastrophe! Mon violon a été abîmé dans le transport. Je n'arrive pas à le croire. Mon chef d'orchestre me demande d'aller voir le luthier en (vitesse, vitese, vitaisse). Je cours vers le local indiqué, mais je ne sais pas trop comment cet homme pourra m'aider. Lorsque je me présente à son bureau, le luthier sursaute et saisit mon instrument. (Mirakle, Mirracle, Miracle), il s'agit du professionnel qui s'occupe de réparer les instruments à cordes en cas de (brie, bris, bri). Vraiment, je crois que mon école de musique a tout prévu, même l'(inprévisible, imprévisible, imprévissible)!

Fais ton autoévaluation.

J'ai trouvé cette notion :

Encercle ton choix.

1	2	3	4	5	6	7	8	9	10

Facile   Difficile

Dans les prochains exercices, nous allons nous amuser avec l'orthographe de mots que tu connais peut-être ou que tu pourras ajouter à ton dictionnaire personnel. Prête bien attention à tes réponses, car celles-ci t'aideront dans la dictée un peu plus loin.

5. Dans les énoncés suivants, encercle le mot entre parenthèses qui présente la bonne orthographe. Tu peux t'aider du dictionnaire en cas de besoin.

a) La (popullation, population, populasion) découvre enfin les talents de chez nous.

b) Le centre d'arts de ma région a célébré son (ouverture, ouvertture, ouvertur) officielle la semaine dernière.

c) On reconnaît ses œuvres à une petite (grife, griffe, griphe) dessinée au bas du tableau.

d) Tu devrais trouver ce que tu cherches dans le (placart, placars, placard).

e) Ce (plateau, plato, platto) est fait en bois canadien et s'ajoute à notre nouvelle collection.

f) Le conférencier a dû annuler sa visite puisqu'il a attrapé un vilain (rume, ruhme, rhume).

g) Les (tarifs, tarrifs, tariffs) peuvent sembler élevés, mais il s'agit de vraies pierres précieuses.

h) Avec cette nouvelle boutique en ville, le (tourrisme, thourisme, tourisme) va probablement se développer.

i) Afin de rencontrer d'autres personnes du (réso, réseau, résso), je participerai au prochain congrès.

j) Il y a en (moienne, moyenne, moyen) une centaine de personnes qui assiste à ce genre d'évènement.

k) La vue de ce (mond, mont, mons) est vraiment inspirante.

6. À ton tour maintenant de trouver de nouveaux mots ! Associe chaque définition proposée dans la colonne de gauche à un des mots de la colonne de droite. Si certains de ces mots ne te sont pas familiers, utilise le dictionnaire.

a) Petite accumulation d'eau peu profonde souvent entourée de végétation.

1. caprice

b) Préparation qui ressemble à une pâte et qui est souvent utilisée comme soin.

2. marais

c) Action de laver ses vêtements ou sa literie.

3. pommade

d) Demande soudaine, souvent non essentielle, qui est sujette au changement.

4. potager

e) Jardin dans lequel on fait pousser des plantes, des fruits et des légumes.

5. lessive

7. Vrai ou faux ? Encercle ton choix.

a) Lorsqu'on écrit les nombres en chiffres romains, il existe deux symboles pour les représenter.　　Vrai　　Faux

b) Les chiffres romains sont tolérés seulement lorsqu'on fait référence à un siècle ou un millénaire.　　Vrai　　Faux

---

Fais ton autoévaluation.

J'ai trouvé cette notion :

Encercle ton choix.

1	2	3	4	5	6	7	8	9	10

Facile　　　　　　　　　　　　　　　　　　　　Difficile

Plus tard, je serai orfèvre

8. Dans ce court texte, encercle le mot correctement orthographié parmi les choix de réponses. N'oublie pas de vérifier les accords, s'il y a lieu, avant de confirmer ton choix.

J'ai toujours aimé la (vaiselle, vaisselle, vèsselle) et tout ce qui entoure l'art de la table. Plus jeune, dès que j'arrivais chez ma grand-mère, j'accourais dans la salle à manger afin de voir la table dressée. Ma grand-mère prenait toujours soin d'y déposer plusieurs objets (enciens, ansiens, anciens) ayant appartenu à sa grand-mère ou à une vieille tante. J'aimais tous les détails : la lumière qui passait à travers les verres en (crystal, cristal, kristal), les couverts reluisants en argent ou encore les serviettes de table bien enroulées dans un (anneau, aneau, annau) en or. Je trouve qu'en plus d'être belles à voir, ces attentions envoient un grand message d'amour aux invités tant attendus ! Cet amour pour la vaisselle et tout ce qui l'entoure m'ont permis de choisir le (métié, métier, méttier) que j'exercerai plus tard : je serai orfèvre. En plus de conseiller mes clients dans leurs choix d'(artticles, artikles, articles) en or ou en argent, je pourrai fabriquer les plus belles pièces afin de les offrir à ceux que j'aime.

Lettre muette en fin de mot

Certains mots de la langue française prennent une lettre muette
(ex.: *d, t, e, c, z, x, s*) en fin de mot, mais cela ne suit pas de règle précise.
Dans les prochains exercices, vérifie si tu sais les reconnaître.
Utilise le dictionnaire si nécessaire. Et n'hésite pas à transcrire les mots
que tu juges utiles dans ton dictionnaire personnel, que tu pourras
consulter en cas de besoin.

1. Dans l'encadré ci-dessous, encercle les 10 mots qui ne devraient pas se terminer avec une lettre muette.

jardint	examen	ballond
fleur	cotond	sofat
imagination	pois	lampe
sentier	roux	foyer
clef	contrat	membre
outil	mot	blonde
oeile	temps	lavabot
fantaisie	aile	sabot
oiseault	cafée	jus
ombrage	deux	lait
fraîcheure	bole	bague

2. À ton tour maintenant de trouver de nouveaux mots qui se terminent par une lettre muette! À l'aide des indices présentés dans la colonne de gauche, replace les lettres du mot mystère de la colonne de droite. Au besoin, vérifie l'orthographe dans le dictionnaire.

a) Le melon miel est souvent appelé un c_____ par erreur.

olatnaup

b) Lors de funérailles, il faut faire preuve de r_____ envers la famille.

ecespt

c) Cette bague ornée d'un r_____ a été volée.

sbiu

d) Il faudra faire attention au p_____ bas afin de ne pas se cogner la tête.

dnlaof

e) Il mange tellement que son a_____ semble grandissant.

pttiép

f) Méfiez-vous de ce m_____, il a la réputation de vendre des objets abîmés.

rdancha

3. Vrai ou faux? Encercle ton choix.

Les symboles utilisés pour indiquer l'heure (h, min, s) ne prennent pas la marque du pluriel.

Vrai   Faux

Une mosaïque qui parle

4. Dans ce texte, encercle, parmi les choix proposés, le mot bien orthographié. Tu peux consulter le dictionnaire en cas de besoin.

Je dois retourner mes livres à la bibliothèque municipale ce matin, mais l'entrée semble bloquée par plusieurs (barières, barrières, barriaires). Je me dirige donc vers l'accès de derrière et j'arrive ainsi à entrer dans la bâtisse. Juste avant que je descende les (escaliés, escalliers, escaliers) vers la chute à livres, quelque chose d'étincelant attire mon (regard, regart, regars). L'entrée principale est fermée puisqu'il y a une équipe de mosaïstes qui s'affaire à réaliser une des plus belles mosaïques que j'ai pu voir jusqu'ici. Je m'approche et remarque que ces artistes ont décidé de rendre (ommage, hommage, homage) aux (bâtisseurs, bàtisseurs, batisseurs) de notre ville en racontant une partie de notre histoire par une image. Les couleurs sont magnifiques et le travail est minutieux. Cependant, ce qui m'impressionne le plus, c'est le nombre de petites tesselles de verre qui a été utilisé pour réaliser cette mosaïque. Chaque petite pièce doit être d'abord bien taillée et ensuite déposée exactement au bon endroit afin de créer le mouvement souhaité dans cette œuvre d'art. Cette mosaïque sera une raison (supplémentaire, suplémentaire, supplémantaire) de venir plus souvent à la bibliothèque !

Les Sept Merveilles du monde

À travers ce thème, tu pourras mettre en pratique tes connaissances en *conjugaison*.

Bonnes découvertes !

L'infinitif du verbe

Les verbes sont des mots qui expriment une action. Lorsque l'on parle du mode infinitif, on fait référence au verbe qui n'est pas conjugué. Afin de t'en souvenir, imagine-toi en train de chercher un verbe dans un outil de grammaire. Celui que tu trouves dans la table des matières est le verbe à l'infinitif (ex. : *baisser, contrôler, citer*).

1. Écris l'infinitif du verbe souligné dans les phrases suivantes.

a) Le parcours de la visite de cet attrait touristique <u>étonnera</u> (_____) plusieurs personnes.

b) Votre forfait voyage <u>inclut</u> (_____) deux billets d'entrée pour le musée d'histoire de ce peuple.

c) Le pont sera <u>suspendu</u> (_____) sur plusieurs mètres.

d) La salle d'exposition <u>accueille</u> (_____) jusqu'à cent visiteurs à la fois en cas de pluie.

e) Pénélope <u>s'ennuie</u> (_____) pendant la visite guidée de la pyramide.

f) Clara est tellement heureuse puisqu'elle <u>a guéri</u> (_____) ce petit oiseau blessé.

g) Les guides <u>rangent</u> (_____) leurs effets personnels sous leur siège et nous demandent de faire de même.

h) Léo <u>inscrit</u> (_____) son nom sur la liste pour assister à la représentation de demain.

i) Mon père et ma mère <u>reprennent</u> (_____) leur souffle après la montée de la colline.

j) Vous <u>devrez</u> (_____) vous présenter au guichet 7 avant midi.

2. Associe les verbes à l'infinitif listés dans la colonne de gauche aux phrases (énoncés) proposées dans la colonne de droite. Plusieurs réponses sont possibles ; chaque verbe peut être choisi plus d'une fois.

a) ignorer   Maude veut _____ un croquis de l'endroit afin de le montrer à ses amies à son retour.

b) surprendre   Les propriétaires souhaitent _____ le parcours afin de faciliter l'accès aux personnes à mobilité réduite.

c) adapter   Le site ne cesse de changer car les arbres et les plantes ne cessent de _____.

d) grandir   Ces visiteurs préfèrent _____ les consignes de sécurité en escaladant cette clôture.

e) dessiner   La hauteur de cette construction risque de _____ tout le monde !

3. Vrai ou faux ? Encercle ton choix.

a) Les verbes à la forme infinitive peuvent prendre la marque du pluriel.   Vrai   Faux

b) Les verbes à l'infinitif peuvent être composés de deux mots (ex. : se perdre).   Vrai   Faux

Fais ton autoévaluation.

J'ai trouvé cette notion :

Encercle ton choix.

I	2	3	4	5	6	7	8	9	10

Facile   Difficile

La pyramide de Khéops

4. Trouve l'infinitif du verbe souligné parmi ceux proposés entre parenthèses. Encercle ta réponse. Tu peux t'aider d'un outil de grammaire (ex. : *Bescherelle*).

La pyramide de Khéops, un roi égyptien, est la seule merveille du monde à avoir survécu (suivre, survivre, survenir) jusqu'à nos jours. On peut encore aller l'observer en Égypte, tout près du Caire. Selon certains historiens, elle aurait pris (prendre, prise, avoir) plus de 20 ans à construire. On peut également imaginer les efforts investis, puisque cette construction a été réalisée (être, résister, réaliser) seulement avec la force humaine et quelques outils peu développés. Cette tâche colossale semble (être, assembler, sembler) toutefois démontrer un travail de qualité qui permet encore aujourd'hui d'apprécier ces vestiges d'autrefois. Les pyramides ont toujours eu (avoir, être, était) un côté mystérieux en raison de leur architecture, mais également des histoires qui y sont rattachées.

5. Voici une courte liste de mots utilisés dans les exercices de cet ouvrage et dont l'apprentissage est recommandé en 6ᵉ année. Afin de bâtir ton propre dictionnaire, inscris-les en ordre alphabétique dans un cahier.

pourboire	endormir
foudre	épingle
averse	évier
alimentaire	grammaire
clocher	paresse

Le verbe *aimer* (1er groupe)

Afin de faciliter ton apprentissage des verbes conjugués, on utilise des regroupements qui t'aideront à mémoriser les terminaisons. Par exemple, le verbe *aimer* est utilisé comme modèle pour la conjugaison de la majorité des verbes qui se terminent par *-er*. Pour faire les prochains exercices, n'hésite pas à consulter ton *Bescherelle* au verbe *aimer*.

1. Encercle le verbe conjugué correctement parmi les choix proposés entre parenthèses. N'oublie pas de vérifier quel est le sujet du verbe en question.

a) Denis (est crié, a crié, crira) sa demande et Luc a enfin pu lui répondre.

b) À la suite de la découverte de nouveaux documents, il (trieront, trierai, triera) les informations selon les dates d'exploration.

c) Avant le déménagement de sa conjointe, nous (hébergea, hébergerons, hébergions) cet homme dans notre grenier.

d) Ils (brancheraient, branchait, branchaient) ces nouveaux câbles si l'électricité devenait enfin disponible dans ce bâtiment.

e) Tu (effrayant, as effrayé, effrayons) ces pauvres gens avec cette histoire.

f) J'(a modelé, avons modelé, ai modelé) cette statue d'argile il y a plusieurs années.

g) Ces affreux personnages (ont hanté, a hanté, hanterons) la communauté à la suite de l'adaptation d'une légende épouvantable.

h) Pendant que tu te promenais dans les ruelles, je (visitai, visitais, visitait) cette ruine à couper le souffle.

i) Demain, à la cérémonie d'ouverture, je (porte, porterai, porterais) ce ruban afin de soutenir la cause qui m'est la plus chère.

j) Vous devriez cesser d'utiliser cette annonce, vous (égarons, égaré, égarez) les passants.

2. À ton tour maintenant de trouver de nouveaux verbes ! Associe un verbe de la colonne de droite qui se termine par -er (1ᵉʳ groupe) aux énoncés à gauche. Plusieurs réponses sont possibles.

a) Nous devons _____ plus de clients.   demeurer

b) Ce médecin devra t'_____ aujourd'hui.   appuyer

c) Nous devrons toujours les _____ dans   attirer
   leurs travaux.

d) Vous ne devez jamais _____ sur cette touche,   encourager
   sinon, tout s'effondre.

e) Après une longue réflexion, j'ai décidé de _____   examiner
   dans cet appartement pour une autre année.

3. Vrai ou faux ? Encercle ton choix.

a) Le premier groupe comporte plus de verbes que le 2ᵉ et   Vrai   Faux
   le 3ᵉ groupe.

b) Les participes passés forment le 4ᵉ groupe de verbes.   Vrai   Faux

---

Fais ton autoévaluation.

J'ai trouvé cette notion :

Encercle ton choix.

1	2	3	4	5	6	7	8	9	10

Facile   Difficile

Le phare d'Alexandrie

4. Choisis, parmi les mots entre parenthèses, celui qui est bien orthographié. N'oublie pas de lire la phrase en entier afin de valider ta réponse et de l'accorder correctement.

Dans ma classe d'histoire, notre enseignante nous (expliquaient, a expliqué, avons expliqué) ce qu'était le phare d'Alexandrie il y a de cela bien des années. En effet, avec les tremblements de terre et les tempêtes, ce qui (resterai, restait, resteront) de cette merveille du monde a été réduit à presque rien. Cependant, le phare (demeurent, demeure, demeureront) bien présent dans la culture grecque de par le symbole qu'il est, mais également par son message de protection des siens. Le phare servait effectivement à protéger les marins, le jour comme la nuit, avec sa lumière continue. Un projet a été annoncé afin de (planifié, planifiés, planifier) la construction d'une réplique de ce phare non loin de son emplacement d'origine. Peut-être (pouvons, pouvont, pourrons)-nous un jour aller visiter cette page d'histoire.

5. Voici une courte liste de mots utilisés dans les exercices de cet ouvrage et dont l'apprentissage est recommandé en 6e année. Cependant, deux erreurs se sont glissées dans cette liste. Encercle les deux mots fautifs!

facilitée	luxe
gronder	parfait
litérature	portière

Le verbe *finir* (2ᵉ groupe)

Afin de faciliter ton apprentissage des verbes conjugués, on utilise des regroupements qui t'aideront à mémoriser les terminaisons. Par exemple, le verbe *finir* est utilisé comme modèle pour la conjugaison de la majorité des verbes qui se terminent par *-ir*. Pour faire les prochains exercices, n'hésite pas à consulter ton *Bescherelle* au verbe *finir*.

1. Encercle le verbe écrit correctement parmi les choix proposés entre parenthèses. N'oublie pas de vérifier quel est le sujet du verbe en question.

a) Avec cette énorme voiture, ils (aplatit, aplatirent, aplatissait) la statuette sans même se rendre compte de l'incident.

b) Dans le message envoyé à toute la famille, vous (avez garanti, avons garanti, avez garantis) un mémorable voyage dans le temps.

c) La couleur originale de la construction (jaunissais, jaunissent, jaunissait) à vue d'œil.

d) Nous (ont saisi, avons saisi, avons saisit) l'occasion dès que ce fut possible.

e) Pour les prochains jours du voyage, nous (ralentirez, ralentirons, ralentiront) notre rythme afin de nous reposer un peu.

f) Mélodie et Véronique (avait élargi, ont élargi, on élargi) leur champ d'expertise par cette expérience.

g) Ce groupe de travailleurs (bâtissent, bâtit, bâtissant) une magnifique école pour cette communauté.

h) Nicolas (nourra, nourrira, nourira) son petit frère pour la première fois.

i) Lorsque nous reviendrons visiter le pays, toutes les tulipes (aura fleuri, auront fleuri, ont été fleuries).

j) Puisque nous avons invité plusieurs personnes pour dîner, nous (rôtissont, rôtissons, rôtissa) un poulet entier.

k) Ce sont ces moments qui nous permettent de nous (réunire, réunnir, réunir).

2. À ton tour maintenant de trouver de nouveaux verbes! Associe chaque énoncé à un verbe de la colonne de droite qui se termine par -*ir* (2ᵉ groupe). Plusieurs réponses sont possibles.

a) Dans ce contexte, les parents ne devraient pas _____ les enfants.   pâlir

b) Philippe explique qu'il a trouvé difficile de _____ son frère.   punir

c) Juste avant qu'elle ait un malaise, je l'ai vue _____.   obéir

d) Le conseil d'administration a été lent à _____ sur le sujet.   trahir

e) Il suffit d'_____ à ces différentes règles pour profiter au maximum de l'aventure.   réagir

3. Vrai ou faux? Encercle ton choix.

a) Ce ne sont pas tous les verbes en -*ir* qui font partie du 2ᵉ groupe.   Vrai   Faux

b) Le verbe *haïr* fait partie du 2ᵉ groupe, même s'il y a un tréma sur le *i*.   Vrai   Faux

---

Fais ton autoévaluation.

J'ai trouvé cette notion :

Encercle ton choix.

1	2	3	4	5	6	7	8	9	10

Facile   Difficile

La statue de Zeus

4. Choisis, parmi les verbes entre parenthèses, celui qui est bien orthographié. N'oublie pas de lire la phrase en entier afin de valider ta réponse et de l'accorder correctement.

Dans le cadre de notre atelier d'arts plastiques de la semaine, notre enseignante nous propose de reproduire avec les matériaux de notre choix une œuvre qui nous inspire. Puisque je suis une grande admiratrice de la mythologie grecque, j'ai l'embarras du choix en ce qui concerne les réalisations inspirantes. J'ai tout de même réussi à trancher et j'(a choisi, ai choisi, avons choisi) de reproduire la statue de Zeus, bien entendu en format réduit, puisque l'originale dépasse les dix mètres de haut. J'(ai réfléchi, aie réfléchi, ai réfléchie) et je crois que je vais utiliser une peinture dorée afin de représenter ses habits en or. Je (bâtissons, bâtissent, bâtis) d'abord ses accessoires en papier mâché. Le groupe (réagit, a réagi, ont réagi) positivement en observant le produit fini. Disons que je ne (garantit, garantie, garantis) pas l'exactitude des mesures, mais c'est vrai qu'elle a fière allure, cette statuette !

5. Voici une courte liste de mots utilisés dans les exercices de cet ouvrage et dont l'apprentissage est recommandé en 6ᵉ année. Afin de bâtir ton propre dictionnaire, inscris-les en ordre alphabétique dans un cahier.

oreiller	cordonnier
d'accord	égout
cire	électeur
génie	fragile
domicile	inconvénient

Les verbes du 3ᵉ groupe

Afin de faciliter ton apprentissage des verbes conjugués, on utilise des regroupements qui t'aideront à mémoriser les terminaisons. Par exemple, les verbes du 3ᵉ groupe incluent les verbes qui se terminent par -*ir* (qui ne sont pas du 2ᵉ groupe et ne font jamais -*issant* au participe présent), par -*oir* ou par -*re*. Pour faire les prochains exercices, n'hésite pas à consulter ton *Bescherelle* afin de vérifier l'écriture de ces verbes nommés irréguliers.

1. Encercle le verbe correctement conjugué parmi les choix proposés entre parenthèses. N'oublie pas de vérifier quel est le sujet du verbe en question.

a) Cet article sur le phare d'Alexandrie (attendrons, attendra, attendrait) à demain pour sa parution officielle.

b) Nous pouvons imaginer la créativité de ceux qui (ont conçu, ont concevu, ont conçoit) les plans de cette merveille du monde.

c) Il (a été admis, ont été admis, avaient admis) que deux personnes étaient à l'origine de cette décision.

d) Marc (cueille, cueillent, cueile) une fleur dans ce jardin tellement inspirant.

e) Ce poète (décris, décrit, décri) avec justesse la beauté des lieux.

f) Yves (a découvers, a découvert, a découverts) ce passage après son premier voyage.

g) La compagnie qui s'occupe de construire les hôtels de la région (abattront, abattrons, abattra) cet arbre centenaire pour utiliser au maximum l'espace réservé aux voyageurs.

h) Ce napperon a entièrement (été coussu, été cousu, été cousus) par les femmes du village.

i) Après tant d'années à s'attendre, ces amoureux (couraient, courssaient, courait) l'un vers l'autre lors de leur rencontre.

j) Les analyses et les explorations prévues (serons suspendues, seront suspendues, soit suspendues).

2. Associe les verbes à l'infinitif du 3e groupe listés dans la colonne de gauche aux phrases (énoncés) proposées dans la colonne de droite.

a) ouvrir

1. Après tant d'années de travail, il devrait _____ comment s'y prendre.

b) prendre

2. Les employés de ce site ont dû _____ un congé forcé.

c) savoir

3. Pour cet aspect, il faudra _____ avec le patron de l'entreprise.

d) offrir

4. Avec l'aménagement du parc, cette ville aura plus à _____.

e) voir

5. Les portes devraient _____ d'une minute à l'autre.

3. Vrai ou faux? Encercle ton choix.

a) En ce qui concerne le 3e groupe, il n'y a pas de verbe modèle unique proposé.   Vrai   Faux

b) Les verbes qui se terminent par *-ir* peuvent autant être dans le 2e que dans le 3e groupe, selon l'intention de l'auteur.   Vrai   Faux

Fais ton autoévaluation.

J'ai trouvé cette notion :

Encercle ton choix.

1	2	3	4	5	6	7	8	9	10

Facile   Difficile

Le colosse de Rhodes

4. Choisis, parmi les verbes entre parenthèses, celui qui est bien orthographié. N'oublie pas de lire la phrase en entier afin de valider ta réponse et de l'accorder correctement.

Vous (aviez déjà vu, avez déjà vu, a déjà vu) une image de ce qui fut l'une des merveilles du monde, le colosse de Rhodes? Comme son nom l'indique, il s'agit d'une statue gigantesque que l'on pouvait (apercevoir, aperçevoir, apersevoir) à Rhodes, en Grèce, et qui représentait le dieu Hélios. Du haut de ses trente mètres, cette figure de force tout en bronze (auraient pu, auront pu, aurait pu) se comparer à la statue de la Liberté des États-Unis en ce qui concerne ses dimensions. Le colosse (as été détruit, aura détruit, a été détruit) par un tremblement de terre et, aujourd'hui, aucune trace de cet héritage architectural ne demeure. Par contre, plusieurs artistes bien connus se sont inspirés de cette merveille du monde afin de la représenter à leur façon. On peut même la retrouver dans certains jeux vidéo ou séries télévisuelles des années 2000.

5. Voici une courte liste de mots utilisés dans les exercices de cet ouvrage et dont l'apprentissage est recommandé en 6e année. Cependant, deux erreurs se sont glissées dans cette liste. Encercle les deux mots fautifs!

indication   haie

fermetur   gras

pane   horaire

L'indicatif futur simple

Le temps de verbe *futur simple de l'indicatif* est utilisé lorsqu'on décrit quelque chose qui va arriver dans le futur. Les terminaisons qui y sont associées sont *-rai, -ras, -ra, -rons, -rez, -ront*. On utilise le futur simple dans différents contextes, à l'écrit.

1. Encercle le verbe correctement conjugué au *futur simple de l'indicatif* parmi les choix proposés entre parenthèses. N'oublie pas de vérifier quel est le sujet du verbe en question.

a) Nous (ira, irons, iront) voir le guide afin de nous procurer la brochure.

b) Après la présentation officielle des joueurs, nous (glisserons, glisseront, gliserons) sur la colline.

c) Je (ferais, ferai, ferrai) un album souvenir avec toutes ces photos.

d) Madeleine, Claire et Louise (aurons, auraient, auront) une chambre à paliers multiples.

e) Les documents qui attestent de l'authenticité de cette histoire (proviendront, provieneront, proviendrons) d'Espagne.

f) Elle vous (demanderas, demanderont, demandera) probablement votre accord avant de signer ce formulaire.

g) Juste avant son départ, Fabienne (verrouilla, verrouillera, verouillera) la porte de l'entrée.

h) Pierre et Jean-Marc (changeons, changerons, changeront) de mot de passe après cet incident.

i) Je (paierai, pairai, paierais) la note au restaurant afin de tous vous remercier pour votre travail.

j) Nous (soutenons, soutiendrons, soutiendra) votre décision, peu importe les conséquences.

k) Vous (supprimez, supprimerai, supprimerez) toutes les informations personnelles de ce client.

2. Associe les verbes à l'infinitif listés dans la colonne de gauche aux phrases (énoncés) proposées dans la colonne de droite. N'oublie pas de bien les conjuguer au futur simple de l'indicatif.

a) garder
1. Je _____ un peu d'ordre dans tous les papiers.

b) préférer
2. Les directeurs de cet ouvrage _____ s'en tenir aux faits.

c) devoir
3. Nous _____ prévoir davantage de places assises.

d) mettre
4. En raison de cette annonce, nous _____ dans l'obligation d'annuler.

e) être
5. Il _____ l'aspect original de l'œuvre grâce à cette nouvelle technologie.

3. Vrai ou faux? Encercle ton choix.

a) On peut utiliser le futur simple afin de donner une consigne à quelqu'un de façon polie. (Ex.: Vous voudrez bien m'accompagner.)   Vrai   Faux

b) Le futur simple et le futur antérieur possèdent les mêmes terminaisons, sauf à la troisième personne du pluriel.   Vrai   Faux

Fais ton autoévaluation.

J'ai trouvé cette notion:

Encercle ton choix.

1	2	3	4	5	6	7	8	9	10

Facile   Difficile

Le temple d'Artémis

4. Choisis, parmi les verbes entre parenthèses, celui qui est bien orthographié au futur simple. N'oublie pas de lire la phrase en entier afin de valider ta réponse et de l'accorder correctement.

En cette journée de pluie, je rêve, toute seule chez moi, pendant des heures. J'adore penser à ce que ma vie serait si tout changeait. En lisant un livre sur l'architecture, je m'abandonne à imaginer une journée dans le temple d'Artémis, déesse grecque de la nature et de la chasse.

«Je crois que je me (baignerais, baignerai, baignera) juste après avoir brossé mes lions. Ensuite, je (demanderait, demandait, demanderai) à mes serviteurs de me préparer un goûter que je (grignotterai, grignoterai, grignotterais) tranquillement étendue dans mon lit de reine. J'(invitrai, inviterai, inviterais) peut-être pour la soirée le reste du peuple à un grand festin. Et, qui sait, je (rencontrerai, rencontrai, rencontterai) peut-être l'homme de ma vie durant cette soirée!»

En attendant d'avoir la vie rêvée d'Artémis, je dois laisser ce beau rêve, car deux devoirs de mathématiques m'attendent pour demain matin. Quel retour brutal à la réalité!

Drôles d'aliments

À travers ce thème, tu pourras mettre en pratique certaines connaissances en *syntaxe* et en *ponctuation*. Bonnes découvertes !

La phrase négative

La phrase de base est positive et sert à affirmer quelque chose. La phrase négative, quant à elle, peut être utilisée afin d'interdire quelque chose ou de refuser un énoncé. Par exemple, on peut dire *Je ne vais pas aller vous voir.* On a ajouté *ne… pas* à la phrase de base *Je vais aller vous voir* afin de la rendre négative.

1. Ajoute les éléments de négation qui conviennent le mieux afin de transformer les phrases positives suivantes en phrases négatives. Choisis parmi les propositions dans l'encadré ci-dessous. Tu peux reprendre plus d'une fois le même élément.

ne pas	n' rien	n' pas	n' aucunement	n' personne
n' jamais	ne jamais	ne nullement	n' nullement	

a) Cet ananas _____ semble _____ être d'une grosseur normale.

b) Il _____ a _____ été question de cacher le nom de cet aliment étrange.

c) Il _____ existe _____ de mieux placé que toi pour expliquer cette apparence quelque peu dégoûtante.

d) Tu _____ dois _____ croire ce que l'on te raconte à mon sujet.

e) Attention de _____ _____ confondre ces deux espèces, qui ont plusieurs éléments en commun.

f) Pour moi, il _____ y a _____ de plus important que mon potager.

g) Cette citrouille est si immense qu'elle _____ peut _____ être coupée avec un couteau de boucher.

h) Elle _____ a _____ l'intention d'abandonner si facilement la course au titre de la cuisinière la plus originale.

2. Les énoncés ci-dessous sont des types de phrases mélangés. À l'aide des informations de la page précédente, détermine lesquels sont des phrases négatives et encercle-les.

a) Les Fortin ne vont jamais en voyage durant l'année scolaire.

b) Trouvez-vous des défauts sur cette courge?

c) Heureusement, il n'y a pas eu de blessés.

d) On n'obtient rien sans effort.

e) Quelle chance! La transplantation a réussi et les fruits semblent intacts.

f) J'adore la saison des récoltes, avec toute cette abondance dans les marchés locaux.

g) Ne vous fiez pas à cette dame, elle a mauvaise réputation.

3. Vrai ou faux? Encercle ton choix.

a) Une phrase peut être à la fois négative et interrogative.   Vrai   Faux

b) Dans une phrase négative, l'utilisation de l'adverbe *ne*   Vrai   Faux
    (ou *n'*) n'est pas obligatoire dans tous les cas.

Fais ton autoévaluation.

J'ai trouvé cette notion :

Encercle ton choix.

1	2	3	4	5	6	7	8	9	10

Facile   Difficile

Le kiwano

4. Dans ce texte, repère les bonnes indications qui te permettront de dessiner le drôle d'aliment suivant. Attention, les seules consignes à respecter sont cachées dans les phrases négatives, les autres informations ne doivent pas être suivies ! Pour t'aider à t'organiser, souligne d'abord les phrases négatives dans le texte et fais ton dessin par la suite !

Le kiwano est un fruit encore peu connu au Québec, mais il est consommé dans différents pays du monde. On ne peut passer sous silence les multiples cornes pointues qui font de cet aliment un adversaire de taille lors de sa préparation. Cela ne laisse pas beaucoup de chance au consommateur d'apprécier sa délicieuse chaire verte, qui contient également quelques graines comestibles. Sa forme en étoile rend le kiwano assez particulier. Et n'oublions pas que ce fruit mesure environ dix centimètres de long. On peut le retrouver dans quelques épiceries de la province, mais ce fruit devra gagner en popularité avant de se retrouver dans notre traditionnelle salade de fruits.

Maintenant, dessine ce drôle d'aliment ! N'oublie pas de conserver seulement les phrases négatives du texte pour créer ton fruit !

Dessin

Le kiwano à ta façon

5. À ton tour de laisser aller ton imagination. Dans le texte troué qui décrit l'aliment, complète les phrases avec tes idées. N'oublie pas que pour ton dessin, tu ne dois utiliser que les éléments des phrases négatives. Amuse-toi à comparer tes deux dessins lorsque tu auras terminé ta description !

Le kiwano est un fruit encore peu connu au Québec, mais il est consommé dans différents pays du monde. On ne peut passer sous silence les multiples _____ qui font de cet aliment un adversaire de taille lors de sa préparation. Cela ne laisse pas beaucoup de chance au consommateur d'apprécier sa délicieuse chaire _____, qui contient également quelques _____. Sa forme en _____ rend le kiwano assez particulier. Et n'oublions pas que ce fruit mesure environ _____ de long. On peut le retrouver dans quelques épiceries de la province, mais ce fruit devra gagner en popularité avant de se retrouver dans notre traditionnelle _____.

Maintenant, dessine ton nouvel aliment ! N'oublie pas de conserver seulement les phrases négatives du texte pour créer ton aliment !

Dessin

La phrase interrogative

La phrase de base est positive et sert à affirmer quelque chose. La phrase interrogative, quant à elle, peut être utilisée afin de s'interroger sur quelque chose ou de poser une question. Par exemple, on peut formuler la question *Avez-vous vu mon père ?* On a inversé le sujet et le verbe de la phrase de base *Vous avez vu mon père* afin de lui donner la forme interrogative. On peut également utiliser des mots interrogatifs en début de phrase comme *comment, combien, quel, qui…*
Sans oublier le point d'interrogation à la fin de la phrase !

1. Fais de chaque phrase une phrase interrogative en y ajoutant l'élément d'interrogation qui convient le mieux. Dans certains cas, plusieurs réponses sont possibles.

Combien	Que	Où	Quand	Avec qui
Est-ce que	Qui	Pourquoi	Comment	

a) _____ vous croyez qu'il pourra en trouver un semblable ?

b) _____ avez-vous découvert cette variété incroyable ?

c) _____ veux-tu t'installer pour préparer ton exposition ?

d) _____ les villageois ont-ils décidé de cueillir ce fruit ?

e) _____ de temps devrons-nous attendre avant de le voir pousser ?

f) _____ peuvent-ils se procurer cet aliment ?

g) _____ je peux vous aider, aujourd'hui ?

h) _____ n'arrivons-nous pas à digérer ce mélange exotique ?

i) _____ pourront-ils arriver à temps pour nous présenter leur trouvaille ?

2. Les énoncés ci-dessous sont des types de phrases mélangés. À l'aide des informations de la page précédente, détermine lesquels sont des phrases interrogatives et encercle-les.

a) Je refuse de laisser les autres décider pour moi.

b) Comment ce phénomène s'est-il produit?

c) Ne vois-tu pas le bateau qui est arrivé?

d) À quoi sert de comparer les deux : nous sommes tous les deux gagnants.

e) Tu rêves en couleurs!

f) Elle ne rencontrera personne après son rendez-vous.

g) Combien d'heures ont été nécessaires à la réalisation de ce projet?

h) Je me demande qui est cet étrange personnage.

3. Vrai ou faux? Encercle ton choix.

a) La phrase interrogative peut prendre différentes formes, et le seul moyen de vérifier s'il s'agit bien de ce type de phrase est de regarder la ponctuation.　　　Vrai　Faux

b) Lorsque l'on inverse le pronom et le verbe dans la phrase interrogative, le trait d'union peut être ajouté entre les deux éléments, mais il n'est pas obligatoire.　　　Vrai　Faux

Fais ton autoévaluation.

J'ai trouvé cette notion :

Encercle ton choix.

1	2	3	4	5	6	7	8	9	10

Facile　　　　　　　　　　　　　　　　Difficile

Le fruit serpent

4. Dans ce texte, repère les bonnes indications afin de dessiner correctement le drôle d'aliment. Attention, les seules consignes à utiliser sont cachées dans les phrases interrogatives, les autres informations ne doivent pas être suivies ! Pour t'aider à t'organiser, souligne toutes les phrases interrogatives dans le texte et fais ton dessin par la suite !

Aviez-vous déjà entendu parler du fruit serpent avant aujourd'hui ? Il s'agit d'un fruit qui est récolté principalement en Thaïlande et qui pousse dans une sorte de palmier rampant. Comment ces gens ont-ils pu découvrir une source de nourriture dans cette enveloppe qui se compare à une peau de serpent brune ? On peut bien imaginer les difficultés rencontrées lors des premières tentatives de dégustation… Ont-ils remarqué le noyau sagement caché au centre de la chaire blanche ? J'espère bien que oui pour la santé du goûteur ! Gageons que les deux écailles mauves du fruit sauront attirer le regard des curieux !

Maintenant, dessine ce drôle d'aliment ! N'oublie pas de garder seulement les phrases interrogatives du texte pour créer ton dessin !

Dessin

Le fruit serpent à ta façon

5. À ton tour de laisser aller ton imagination. Dans le texte troué qui décrit l'aliment, complète les phrases avec tes idées. N'oublie pas que pour ton dessin, tu ne dois utiliser que les éléments des phrases interrogatives. Amuse-toi à comparer tes deux dessins lorsque tu auras terminé ta description !

Aviez-vous déjà entendu parler du fruit serpent avant aujourd'hui ? Il s'agit d'un fruit qui est récolté principalement en Thaïlande et qui pousse dans une sorte de _____. Comment ces gens ont-ils pu découvrir une source de nourriture dans cette enveloppe qui se compare à une _____ ? On peut bien imaginer les difficultés rencontrées lors des premières tentatives de dégustation… Ont-ils remarqué le noyau sagement caché au centre de _____ ? J'espère bien que oui pour la santé du goûteur ! Gageons que les _____ sauront attirer le regard des curieux !

Maintenant, dessine à ta façon le drôle d'aliment ! N'oublie pas de garder seulement les phrases interrogatives du texte pour créer ton fruit !

Dessin

La phrase impérative

La phrase de base est positive et sert à affirmer quelque chose. La phrase impérative, elle, peut être utilisée afin de donner un ordre ou un conseil. Par exemple, on peut dire *Range ta chambre.* On a mis le verbe de la phrase de base (*Tu ranges ta chambre*) au mode impératif et enlevé le sujet grammatical, qu'on déduit alors par la finale du verbe. Un point d'exclamation peut être utilisé en fin de phrase, mais il n'est pas obligatoire.

1. Complète les phrases impératives suivantes en y ajoutant le verbe bien conjugué parmi les choix de réponses. Tu peux consulter le *Bescherelle* ou un autre outil de conjugaison pour t'aider.

a) _____ (Rends, Rands, Rens)-moi ce livre immédiatement.

b) _____ (Aller, Allez, Allé) le rejoindre, je vais rester encore un peu.

c) _____ (Parttage, Partages, Partage) le biscuit avec ta sœur !

d) _____ (Tourne, Tournes, Tournne) ici, c'est le chemin le plus court.

e) _____ (Passons, Passeons, Passon) à un autre numéro, celui-ci est trop difficile.

f) _____ (Lis, Lit, Lie) attentivement ce chapitre !

g) _____ (Peinturer, Peinturez, Peints) plus rapidement, vous ne terminerez pas à temps !

h) _____ (Conjuguiez, Conjugons, Conjuguons) les premiers verbes inscrits correctement.

i) _____ (Déposse, Dépose, Dépause)-moi ici, je ferai le reste du chemin en marchant.

j) _____ (Vieillis, Vieillit, Vieilli) un peu !

k) _____ (Mange, Mangez, Manger) tous vos légumes, vous aurez besoin de force pour terminer les travaux.

2. Les énoncés ci-dessous sont des types de phrases mélangés. À l'aide des informations de la page précédente, détermine lesquels sont des phrases impératives et encercle-les.

a) Regarde en avant!

b) En voilà, un drôle d'air!

c) Dois-tu donner une conférence à l'université cet après-midi?

d) Libère l'espace réservé aux personnes à mobilité réduite.

e) Tu ne devrais pas changer ton idée de départ!

f) Je te laisse deviner à quoi cela me fait penser.

g) Évacuez les lieux, il pourrait encore y avoir un risque pour la sécurité de tous.

h) Inscrivez vos noms rapidement!

3. Vrai ou faux? Encercle ton choix.

a) Les phrases impératives ne peuvent être négatives   Vrai   Faux
   puisqu'elles donnent un ordre ou une consigne.

b) Les phrases impératives peuvent donner un ton sérieux   Vrai   Faux
   et directif à la lecture des énoncés à voix haute.

Fais ton autoévaluation.

J'ai trouvé cette notion:

Encercle ton choix.

l	2	3	4	5	6	7	8	9	10

Facile   Difficile

La main de bouddha !

4. Dans ce texte, repère les bonnes indications afin de dessiner correctement le drôle d'aliment suivant. Attention, les seules consignes à respecter sont cachées dans les phrases impératives, les autres ne doivent pas être suivies ! Pour t'aider à t'organiser, souligne toutes les phrases impératives du texte et fais ton dessin par la suite !

Cher ami,

À la suite de mon voyage en Corse, je t'invite à venir goûter différentes saveurs que j'ai découvertes lors de ce séjour. La main de bouddha est un bon exemple de fruit poilu qu'on cultive dans ce coin du monde. Détrompe-toi, ce n'est pas une vraie main, malgré sa forme pratiquement identique mais avec plus de doigts ! Pense à un agrume jaune que tu connais et tu verras que le goût, comme la couleur, est très similaire ! Eh oui, la main de bouddha ressemble beaucoup à un citron. Malheureusement, les agrumes résistent mal à notre climat froid et nous ne pouvons pas faire pousser ces arbres fruitiers. C'est une des raisons qui me donnent envie de voyager davantage ! À bientôt pour la dégustation !

Maintenant, dessine le drôle d'aliment ! N'oublie pas de garder seulement les phrases impératives du texte pour créer ton image avec le plus de détails possible !

Dessin

La main de bouddha à ta façon

5. À ton tour de laisser aller ton imagination. Dans le texte troué qui décrit l'aliment, complète les phrases avec tes idées. N'oublie pas que pour ton dessin, tu ne dois utiliser que les éléments des phrases impératives. Amuse-toi à comparer tes deux dessins lorsque tu auras terminé ta description !

Cher ami,

À la suite de mon voyage en Corse, je t'invite à venir goûter différentes saveurs que j'ai découvertes lors de ce séjour. La main de bouddha est un bon exemple de fruit _____ qu'on cultive dans ce coin du monde. Détrompe-toi, ce n'est pas une vraie main, malgré sa forme pratiquement identique mais avec plus _____ ! Pense à un agrume _____ que tu connais et tu verras que le goût, comme la couleur, est très similaire ! Eh oui, la main de bouddha ressemble beaucoup à _____. Malheureusement, les agrumes résistent mal à notre climat froid et nous ne pouvons pas faire pousser _____. C'est une des raisons qui me donnent envie de voyager davantage ! À bientôt pour la dégustation !

Maintenant, dessine ton drôle d'aliment ! N'oublie pas de garder seulement les phrases impératives du texte pour créer ton image !

Dessin

La phrase exclamative

La phrase de base est positive et sert à affirmer quelque chose. La phrase exclamative, elle, peut être utilisée afin d'affirmer quelque chose avec une émotion, un sentiment fort. Par exemple, on peut dire *Quelle joie de te rencontrer !* On a ajouté au début de la phrase de base *C'est une joie de te rencontrer* un mot d'exclamation (*Quelle*) et un point d'exclamation à la fin afin de la rendre exclamative.

1. Fais de chaque phrase une phrase exclamative en y ajoutant l'élément d'exclamation qui convient le mieux. Dans certains cas, plusieurs réponses sont possibles.

| Quel | Quelle | Que | Comme | Qu' | Quels | Tant |

a) _____ sacrifice incroyable !

b) _____ de merveilles restent à découvrir !

c) _____ les temps changent !

d) _____ ils sont pressés d'emménager !

e) _____ bons amis ils font !

f) _____ gentils chiens !

g) _____ vos enfants sont polis !

h) _____ température magnifique !

i) _____ plan redoutable !

j) _____ ce voyage a été reposant !

k) _____ ce mal de tête me fait souffrir !

l) _____ de bonnes nouvelles en ce samedi matin !

2. Les énoncés ci-dessous sont des types de phrases mélangés. À l'aide des informations de la page précédente, détermine lesquels sont des phrases exclamatives et encercle-les.

a) Cette histoire m'a coupé l'appétit!

b) Que voulez-vous que je réponde à ça?

c) N'écoute pas les nouvelles ce soir!

d) Comme je t'envie de l'avoir rencontrée!

e) Ce sera pour une autre fois.

f) Quelle chance de pouvoir poursuivre mon rêve avec toi!

g) Je lui ai donné l'information nécessaire à la suite de sa demande.

h) Combien d'enfants pourront enfin en profiter?

3. Vrai ou faux? Encercle ton choix.

a) Les phrases exclamatives ne doivent pas comporter plus de dix mots.   Vrai   Faux

b) Les phrases exclamatives ne peuvent être interrogatives en même temps.   Vrai   Faux

Fais ton autoévaluation.

J'ai trouvé cette notion:

Encercle ton choix.

1	2	3	4	5	6	7	8	9	10

Facile   Difficile

La carambole

4. Dans ce texte, repère les bonnes indications afin de dessiner correctement le drôle d'aliment suivant. Attention, les seules consignes à respecter sont cachées dans les phrases exclamatives, les autres informations ne doivent pas être suivies ! Pour t'aider à t'organiser, souligne d'abord toutes les phrases exclamatives dans le texte et fais ton dessin par la suite !

Vous l'avez peut-être déjà vu dans les marchés ou dans une épicerie près de chez vous. Mais ce fruit est encore méconnu de plusieurs dans notre province. Il s'agit de la carambole, cet aliment aux allures exotiques. Quelle drôle de forme en tube étoilé elle a ! Lorsqu'on la tranche, on obtient de petites étoiles à mettre en décoration dans nos assiettes ! Et que dire de cette couleur soleil qui donne envie d'être en vacances, les deux pieds dans le sable ! Cependant, il faut se méfier de ses extrémités très pointues. Vous pourrez l'ajouter dans un dessert glacé ou une salade de fruits, vos amis seront sûrement curieux d'en apprendre plus sur ce fruit exotique !

Maintenant, dessine l'aliment étrange ! N'oublie pas de garder seulement les phrases exclamatives du texte pour créer ton image avec le plus de détails possible !

Dessin

La carambole à ta façon

5. À ton tour de laisser aller ton imagination. Dans ce texte troué qui décrit l'aliment, complète les phrases avec tes idées. N'oublie pas que tu ne dois dessiner que les éléments des phrases exclamatives. Amuse-toi à comparer tes deux dessins lorsque tu auras terminé ta description !

Vous l'avez peut-être déjà vu dans les marchés ou dans une épicerie près de chez vous. Mais ce fruit est encore méconnu de plusieurs dans notre province. Il s'agit de la carambole, cet aliment aux allures exotiques. Quelle drôle de forme de _____ elle a ! Lorsqu'on la tranche, on obtient de _____ à mettre en décoration dans nos assiettes ! Et que dire de cette couleur _____ qui donne envie d'être en vacances, les deux pieds dans le sable ! Cependant, il faut se méfier de ses _____. Vous pourrez l'ajouter dans un _____ ou une _____, vos amis seront sûrement curieux d'en apprendre plus sur ce fruit exotique !

Maintenant, dessine ton aliment étrange ! N'oublie pas de garder seulement les phrases exclamatives du texte pour créer ton dessin !

Dessin

Exercices inversés !

Dans la prochaine section, qui s'inspire des thèmes du cahier (métiers atypiques, grandes inventions d'ici, métiers d'art, merveilles du monde et drôles d'aliments), nous aborderons les mêmes notions que précédemment, mais tu devras deviner toi-même de laquelle il s'agit. Dans de courts textes contenant des éléments soulignés, tu essaieras de trouver quelle notion tu travailles. Tu peux consulter le thème en question afin de revoir les 5 connaissances vues antérieurement. Bonne révision !

Métiers atypiques

À travers ce thème, nous avons vu des notions de *lexique* (sens propre et sens figuré, antonymes, préfixes, suffixes, mots génériques).

Bonne révision !

Chanteur lyrique

1. Dans ce court texte, encercle le mot correctement orthographié parmi les choix de réponses entre parenthèses. Tu peux consulter le dictionnaire pour vérifier tes hypothèses de travail.

Ce soir, l'Opéra de Montréal ouvre ses portes afin de permettre au public de se familiariser avec les carrières possibles dans ce milieu. J'attendais ce moment depuis plusieurs années, car je désire devenir chanteur lyrique. (Heureusement, Heureusemant), je crois que mes compétences vocales peuvent m'aider, mais je sais que plusieurs autres aptitudes sont nécessaires pour réussir dans cette profession. Les gens méconnaissent tous les aspects que ces chanteurs doivent travailler, comme la posture, mais aussi l'(apprentissement, apprentissage) de différentes langues : (française, françoise) ou (angloise, anglaise), par exemple. Je suis heureux d'avoir choisi ce parcours tôt, car j'aurai plusieurs années de travail devant moi !

La notion traitée ici est : _____

2. À toi de jouer ! Trouve 5 exemples de cette notion et inscris-les ci-dessous. Demande à un adulte de vérifier tes réponses. Attention, les exemples ci-dessus ne seront pas acceptés !

a) _____   d) _____

b) _____   e) _____

c) _____

Laveur de vitres

3. Choisis la réponse la plus appropriée par rapport au mot souligné parmi les suggestions entre parenthèses puis encercle ta réponse. Tu peux consulter le dictionnaire pour vérifier tes hypothèses de travail.

En cette journée pédagogique, j'accompagne mon <u>oncle</u> (parent, professeur) à son travail pour la journée. Détrompez-vous si vous croyez que je vais m'ennuyer dans un <u>bureau</u> (électroménager, pièce) toute la journée. Sa profession? Laveur de vitres au centre-ville. Il s'occupe principalement des vitres des grandes tours de bureaux. Avec sa nacelle, il est souvent perché à plus de 100 mètres du sol pour accomplir son travail. Par chance, plusieurs mécanismes de sécurité le protègent, mais il reste quelques éléments imprévisibles, comme le <u>vent</u> (climat, astrologie) ou la circulation au sol. Puisque ce sera ma première expérience, mon oncle me fait monter dans sa nacelle avec lui jusqu'à 50 mètres. Je crois que ce sera suffisant pour l'instant; je préfère nettement mieux avoir les deux <u>pieds</u> (morceaux, parties du corps) sur terre!

La notion traitée ici est : _____

4. À toi de jouer! Trouve 5 exemples de cette notion et inscris-les ci-dessous. Demande à un adulte de vérifier tes réponses. Attention, les exemples ci-dessus ne seront pas acceptés!

a) _____   d) _____

b) _____   e) _____

c) _____

Les grandes inventions d'ici

À travers ce thème, nous avons vu des notions d'*accords* (déterminants, adjectifs, pronoms, adverbes et prépositions).

Bonne révision !

Domoticien

1. Choisis la réponse la plus appropriée par rapport au mot souligné parmi les suggestions entre parenthèses puis encercle ta réponse. Tu peux consulter le dictionnaire pour vérifier tes hypothèses de travail.

(Un, Une, Des) <u>domoticien</u> n'a rien à voir avec un chirurgien ou un opticien, mais plutôt avec l'informatique et la robotique! C'est le spécialiste des maisons intelligentes, celles qui peuvent vous accueillir le soir en allumant (nos, vos, votre) <u>foyer</u> ou encore en vous permettant de contrôler la température de votre piscine à distance. Bien évidemment, (tout, toutes, tous) <u>ces commodités</u> viennent avec une jolie facture, mais cela reste impressionnant de voir jusqu'où (la, le, l') <u>informatique</u> peut aller! Qui dirait non à un aquarium géant qui change de couleur selon la personne qui entre dans la pièce? Cela ferait (un, une, le) excellent <u>sujet de conversation</u> autour de la table lors d'une soirée entre amis. Et pourtant, le meilleur reste probablement à venir…

La notion traitée ici est : _____

2. À toi de jouer! Trouve 5 exemples de cette notion et inscris-les ci-dessous. Demande à un adulte de vérifier tes réponses. Attention, les exemples ci-dessus ne seront pas acceptés!

a) _____   d) _____

b) _____   e) _____

c) _____

Promeneur de chiens

3. Choisis la réponse la plus appropriée par rapport au mot souligné parmi les suggestions entre parenthèses puis encercle ta réponse. Tu peux consulter le dictionnaire pour vérifier tes hypothèses de travail.

Roxy, Patch, Lexie, Frousse, Puffy et Sissi sont les noms de mes <u>clients</u> (réguliers, anciens). Moi, je les adore plus que tout, mais certaines de mes connaissances ne peuvent les supporter, probablement à cause de leur difficulté à rester propres plus de 5 minutes ! Vous l'aurez peut-être deviné, je suis promeneur de chiens, et j'adore passer mes journées avec ces (horribles, adorables) <u>toutous</u>. Bien entendu, c'est beaucoup de travail de sortir de la maison avec six bêtes en laisse, mais <u>les chiens</u> sont si (laids, beaux) à voir une fois arrivés au parc à chiens. Ils s'amusent tellement que le temps ne compte plus. J'aime aussi me balader avec eux, puisque je crois que les gens s'attendrissent à la vue de cette petite <u>meute</u> (méchante, sympathique). Mais ce que je préfère par-dessus tout, c'est de voir un enfant émerveillé devant ces petites boules de poils !

La notion traitée ici est : _____

4. À toi de jouer ! Trouve 5 exemples de cette notion et inscris-les ci-dessous. Demande à un adulte de vérifier tes réponses. Attention, les exemples ci-dessus ne seront pas acceptés !

a) _____   d) _____

b) _____   e) _____

c) _____

Métiers
d'arts

À ce thème, nous avons vu des notions d'*orthographe d'usage* (majuscule, écriture des nombres, orthographe des mots, lettre muette en fin de mot).

Bonne révision !

Joaillier

1. Choisis la réponse la plus appropriée par rapport au mot souligné parmi les suggestions entre parenthèses puis encercle ta réponse. Tu peux consulter le dictionnaire pour vérifier tes hypothèses de travail.

Une nouvelle boutique vient tout juste d'ouvrir ses portes au centre d'achat près de chez moi. Sa construction a pris plus de (dix-huit, dix huit, dix-8) <u>mois</u>, mais nous pouvons aujourd'hui apprécier tous les détails de cette magnifique bijouterie. Le joaillier nous invite à voir son présentoir, qui comporte sa collection de plus de (deux-cents-vingt, deux-cent-vingts, deux cent vingt) <u>bijoux</u>. De belles pierres et de l'or (vingt-quatres, vingt quatre, vingt-quatre) <u>carats</u> sont utilisés dans la majorité des créations, mais on peut aussi trouver pas moins de (quatre-vingt-dix, quatre vingts-dix, quatre-vingt-dis) <u>sortes</u> de pierres précieuses importées de partout dans le monde. On peut dire que cette boutique attire l'œil des passants!

La notion traitée ici est : _____

2. À toi de jouer! Trouve 5 exemples de cette notion et inscris-les ci-dessous. Demande à un adulte de vérifier tes réponses. Attention, les exemples ci-dessus ne seront pas acceptés!

a) _____ d) _____

b) _____ e) _____

c) _____

Le salon des métiers d'art

3. Dans ce court texte, encercle le mot correctement orthographié parmi les choix de réponses entre parenthèses. N'oublie pas de vérifier les accords, s'il y a lieu, avant de confirmer ton choix.

À l'approche du temps des fêtes, mon amie Shany, une artiste remplie de (tallent, talant, talent), m'invite à un salon des métiers d'art auquel elle participe. Arrivée sur place, je suis étonnée par toutes les merveilles que j'y trouve. Des cartes de (souaits, souhaits, souhets) originales, des jouets en bois peints à la main ou encore de larges (foullards, foularts, foulards) tricotés aux couleurs multiples ne sont que quelques exemples d'objets à se procurer ou à offrir. Tous les visiteurs semblent comblés par le choix et la (qualité, qualitté, qualitée) de ce qui s'offre à leurs yeux. Cependant, ce que je retiens d'abord de cette visite, c'est l'air timide de ces (artisents, artisans, artisants) qui ouvrent un volet très personnel de leur vie : leur imagination.

La notion traitée ici est : _____

4. À toi de jouer! Trouve 5 exemples de cette notion et inscris-les ci-dessous. Demande à un adulte de vérifier tes réponses. Attention, les exemples ci-dessus ne seront pas acceptés!

a) _____   d) _____

b) _____   e) _____

c) _____

Les Sept Merveilles du monde

À travers ce thème, nous avons vu des notions de *conjugaison* (infinitif, verbes des 1er, 2e et 3e groupes, futur simple).

Bonne révision !

Voyage aux pays des merveilles

1. Dans ce court texte, encercle le mot correctement orthographié parmi les choix de réponses entre parenthèses. N'oublie pas de vérifier les accords, s'il y a lieu, avant de confirmer ton choix.

Mes parents et moi planifions un voyage en Grèce afin d'aller (visité, visitter, visiter) quelques sites d'anciennes merveilles du monde. Depuis plusieurs années, nous avons ce projet en tête, et maintenant, nous allons enfin le (concrétier, concrétiser, concrétisser). Inutile de préparer un itinéraire ; nous avons décidé de nous laisser guider par les gens de l'endroit. Bien entendu, nous n'arriverons pas à tout voir en deux semaines, mais certains incontournables seront sur notre liste de lieux à ne pas (menquer, manquer, manqué) ! J'ai l'impression que le simple fait de me promener dans les villes historiques me permettra de m'(imprégner, inprégner, imprégné) de la mythologie grecque et des personnages légendaires qui y sont rattachés.

La notion traitée ici est : _____

2. À toi de jouer ! Trouve 5 exemples de cette notion et inscris-les ci-dessous. Demande à un adulte de vérifier tes réponses. Attention, les exemples ci-dessus ne seront pas acceptés !

a) _____   d) _____

b) _____   e) _____

c) _____

Un article surprenant

3. Dans ce court texte, encercle le mot correctement orthographié parmi les choix de réponses entre parenthèses. N'oublie pas de vérifier les accords, s'il y a lieu, avant de confirmer ton choix.

Quelle joie! Je viens de recevoir un appel important de la part de l'éditrice du journal local. Elle m'a demandé d'écrire un article sur les merveilles du monde moderne selon différents classements connus. Je (réserverais, réserveré, réserverai) sans doute une place de choix à l'Empire State Building, situé à Manhattan, puisque j'ai adoré la visite de ce lieu. Je n'(oblierai, oublierai, oublirer) certainement pas le Golden Gate de San Francisco, qui offre une vue spectaculaire. Il y a tant de choix de lieux incroyables que je crois que je (ferai, fairai, ferais) une liste afin de ne pas en oublier. J'en (profitterai, profiterais, profiterai) pour faire la planification de mes voyages à venir pour les prochaines années.

La notion traitée ici est : _____

4. À toi de jouer! Trouve 5 exemples de cette notion et inscris-les ci-dessous. Demande à un adulte de vérifier tes réponses. Attention, les exemples ci-dessus ne seront pas acceptés!

a) _____   d) _____

b) _____   e) _____

c) _____

Drôles d'aliments

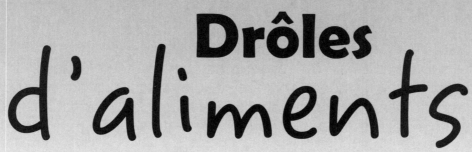

À travers ce thème, nous avons vu certaines notions de *syntaxe* et de *ponctuation* (phrases négative, interrogative, exclamative et impérative). Bonne révision !

Exercices inversés !

Le pitaya

1. Lis le texte suivant et essaie de trouver avec quel type de phrases il est constitué (phrases soulignées). Lorsque tu auras inscrit ta réponse au bas de la page, identifie dans les phrases soulignées toutes les informations utiles au dessin du drôle d'aliment que tu pourras faire ci-dessous.

Peut-être le connaissez-vous sous son autre nom, soit le fruit du dragon? Le pitaya est un produit exotique relativement nouveau dans nos marchés au Québec. <u>Quelle couleur impressionnante a sa chair rouge! Et que dire de sa peau de la même couleur qui rappelle un peu l'ananas, avec ses petites feuilles rigides!</u> Avez-vous remarqué sur le dessus sa tige en forme de tire-bouchon? Malgré son allure étrange, ce fruit est délicieux, et on compare souvent son goût à celui d'un kiwi. <u>Quelle drôle d'idée de manger un fruit qui pousse dans un cactus! Heureusement pour nous, certains producteurs y ont pensé et nous font profiter de cette belle trouvaille!</u>

Dessin du pitaya

La notion traitée ici est : _____

Le pitaya à ta façon

2. À ton tour de laisser aller ton imagination. Dans ce texte troué qui décrit le pitaya, complète les phrases avec tes idées. N'oublie pas que pour dessiner le pitaya, tu ne dois utiliser que les éléments des phrases soulignées. Amuse-toi à comparer tes deux dessins lorsque tu auras terminé ta description !

Peut-être le connaissez-vous sous son autre nom, soit le fruit du dragon ?

Le pitaya est un produit exotique relativement nouveau dans nos marchés

au Québec. <u>Quelle couleur impressionnante a sa _____</u> ! <u>Et que dire</u>

<u>de sa peau de la même couleur qui rappelle un peu l'_____, avec</u>

<u>ses _____</u> ! Avez-vous remarqué sur le dessus sa tige en forme

de _____ ? Malgré son allure étrange, ce fruit est délicieux, et on

compare souvent son goût à celui d'un kiwi. <u>Quelle drôle d'idée de manger</u>

<u>un fruit qui pousse dans _____</u> ! <u>Heureusement pour nous, certains</u>

<u>producteurs y ont pensé et nous font profiter de cette belle trouvaille !</u>

Dessin du pitaya à ta façon

Dictées récapitulatives

Dans la prochaine section, qui s'inspire de la thématique des fêtes célébrées au Québec, nous aborderons les mêmes notions que dans les exercices précédents, mais cette fois sous forme de dictées. Demande à un adulte de te lire les dictées qui suivent. Dans ces courts textes, tu reverras plusieurs notions travaillées dans le cahier. La lecture de chaque dictée peut être répétée au besoin, et les exercices de cette section ne sont pas chronométrés. Bonne révision !

Boo! Joyeuse Halloween!

Lisez lentement la dictée à la page 143 du corrigé. Au besoin, répétez certains segments de phrase, et ce, aussi souvent que nécessaire. Ne chronométrez pas le travail de l'enfant dans ce contexte. Ces dictées se veulent des exercices de perfectionnement et ne sont pas des évaluations formelles.

_____

_____

_____

_____

_____

_____

_____

_____

_____

_____

_____

_____

_____

_____

_____

_____

_____

_____

Un Noël au chaud

Lisez lentement la dictée à la page 143 du corrigé. Au besoin, répétez certains segments de phrase, et ce, aussi souvent que nécessaire. Ne chronométrez pas le travail de l'enfant dans ce contexte. Ces dictées se veulent des exercices de perfectionnement et ne sont pas des évaluations formelles.

_____

_____

_____

_____

_____

_____

_____

_____

_____

_____

_____

_____

_____

_____

_____

_____

Un lapin généreux

Lisez lentement la dictée à la page 143 du corrigé. Au besoin, répétez certains segments de phrase, et ce, aussi souvent que nécessaire. Ne chronométrez pas le travail de l'enfant dans ce contexte. Ces dictées se veulent des exercices de perfectionnement et ne sont pas des évaluations formelles.

_____

_____

_____

_____

_____

_____

_____

_____

_____

_____

_____

_____

_____

_____

_____

_____

_____

_____

_____

_____

Lettres mystérieuses

Lisez lentement la dictée à la page 144 du corrigé. Au besoin, répétez certains segments de phrase, et ce, aussi souvent que nécessaire. Ne chronométrez pas le travail de l'enfant dans ce contexte. Ces dictées se veulent des exercices de perfectionnement et ne sont pas des évaluations formelles.

_____

_____

_____

_____

_____

_____

_____

_____

_____

_____

_____

_____

_____

_____

_____

_____

À l'an prochain !

Lisez lentement la dictée à la page 144 du corrigé. Au besoin, répétez certains segments de phrase, et ce, aussi souvent que nécessaire. Ne chronométrez pas le travail de l'enfant dans ce contexte. Ces dictées se veulent des exercices de perfectionnement et ne sont pas des évaluations formelles.

_____

_____

_____

_____

_____

_____

_____

_____

_____

_____

_____

_____

_____

_____

_____

_____

_____

_____

_____

Chansons d'ici

Lisez lentement la dictée à la page 144 du corrigé. Au besoin, répétez certains segments de phrase, et ce, aussi souvent que nécessaire. Ne chronométrez pas le travail de l'enfant dans ce contexte. Ces dictées se veulent des exercices de perfectionnement et ne sont pas des évaluations formelles.

_____

_____

_____

_____

_____

_____

_____

_____

_____

_____

_____

_____

_____

_____

_____

_____

Feux et trompettes

Lisez lentement la dictée à la page 144 du corrigé. Au besoin, répétez certains segments de phrase, et ce, aussi souvent que nécessaire. Ne chronométrez pas le travail de l'enfant dans ce contexte. Ces dictées se veulent des exercices de perfectionnement et ne sont pas des évaluations formelles.

_____

_____

_____

_____

_____

_____

_____

_____

_____

_____

_____

_____

_____

_____

_____

_____

_____

_____

L'heure du bilan

Après tout ce travail, voici un espace qui t'est réservé. Tu peux y indiquer les notions que tu as trouvé difficiles, celles que tu veux revoir, ou encore les questions que tu pourras poser à ton enseignant ou à un adulte.

J'ai trouvé ces notions difficiles :

- _____

- _____

- _____

- _____

Ces notions seront à retravailler :

- _____

- _____

- _____

- _____

J'ai quelques questions en tête :

- _____

- _____

- _____

- _____

Fiches de concepts

Grâce à ton travail, tu as réussi à faire l'apprentissage et la révision de plusieurs concepts à connaître en 6e année. Dans les prochaines pages, tu trouveras des fiches à découper qui expliquent ces concepts. D'un côté, il y a le nom du concept (ex. : déterminant) et de l'autre côté, quelques mots clés qui y sont associés. Ces fiches te seront très utiles au moment de ton étude !

Sens figuré	Mots génériques	Antonymes
Suffixe	Préfixe	Déterminant
Adverbe	Pronom	Adjectif

Mots qui ont un sens opposé

Ex. : Haut / Bas

Utiles pour créer des catégories de sens

Décrivent des objets / êtres

Termes globaux

Ex. : bijoux, meubles

Utilisé pour s'exprimer de façon plus colorée

Sens créé avec des images

Utilisation d'expressions

Ex. : il tombe des cordes

(= il pleut très fort)

Mot placé devant le nom

Introduire le nom

ou parfois le préciser

Ex. : Cette odeur

Élément présent au début du mot

Se situe juste avant la racine du mot

Ex. : kilogramme, kilomètre

Élément présent à la fin du mot

Se situe juste après la racine du mot

Ex. : vivement, accolade

Ajoute précision / modifie le sens (verbe / adjectif)

Supprimable dans une phrase

Change l'intensité du message

Remplace un mot ou un groupe de mots dans une phrase

Évite la répétition

S'accorde en genre et en nombre avec le nom qu'il remplace

Complément du nom

Se retrouve souvent après celui-ci

S'accorde en genre et en nombre avec le nom qu'il accompagne

Préposition	Infinitif	Verbes du 1er groupe
Verbes du 2e groupe	Verbes du 3e groupe	Indicatif futur simple
Phrase négative	Phrase interrogative	Phrase impérative

Aimer = modèle du groupe

Majorité des verbes : même conjugaison

Verbe non conjugué

Forme qu'on retrouve dans le dictionnaire

Mot de liaison

Introduit souvent complément phrase

Invariable

Peut être :
- simple
(ex. : à, de, pour)
- complexe
(ex. : jusqu'à)

Décrit quelque chose qui va arriver dans le futur

Terminaisons : *-rai, -ras, -ra, -rons, -rez, -ront*

Aucun verbe modèle pour ce groupe

Majorité des verbes qui ne sont pas dans 1er ou 2e groupes

Souvent, terminaisons :

-oir, -re, -ir

Finir = modèle du groupe

Majorité des verbes : même conjugaison

Utilisée pour donner un ordre ou un conseil

Enlever le sujet de la phrase

Ajout d'un point d'exclamation (parfois)

Utilisée pour poser une question

Ajout de mots d'interrogation

Ajout d'un point d'interrogation

Utilisée pour interdire, refuser quelque chose

Ajout de *ne… pas* ou autres mots de négation

Phrase exclamative	Lexique	Accords
Orthographe d'usage	Conjugaison	Syntaxe

Comprennent les classes de mots (adj., adv., etc.)

Donneurs-receveurs d'accord

Comprend la formation de mots, le vocabulaire, le sens des mots

Ensemble des mots que possède une langue

Utilisée pour affirmer quelque chose avec émotion

Ajout d'un point d'exclamation

Ajout de mots d'exclamation (parfois)

Ex.: oh!

Types de phrases

(Ex.: phrase négative, interrogative)

Structure de la phrase

Connaissances sur le verbe (modes, temps, terminaisons, verbes modèles)

Constantes orthographiques

Ex: *ail/aille*

Trucs pour la mémorisation

Carte d'organisation des idées

Dans les deux prochaines pages, tu pourras consulter un résumé de toutes les notions traitées dans ce cahier. Ce résumé est construit à l'aide d'une carte d'organisation de tous les concepts. Ainsi, tu pourras bien voir les liens entre tous ces termes.

phrases
impératives

phrases
interrogatives

phrases
exclamatives

**types
de phrases**

phrases
négatives

**Syntaxe et
ponctuation**

infinitif
verbe

imparfait
indicatif

**modes /
temps**

ÉCR

présent
indicatif

Conjugaison

**Groupes
de verbes**

1er groupe

2e groupe

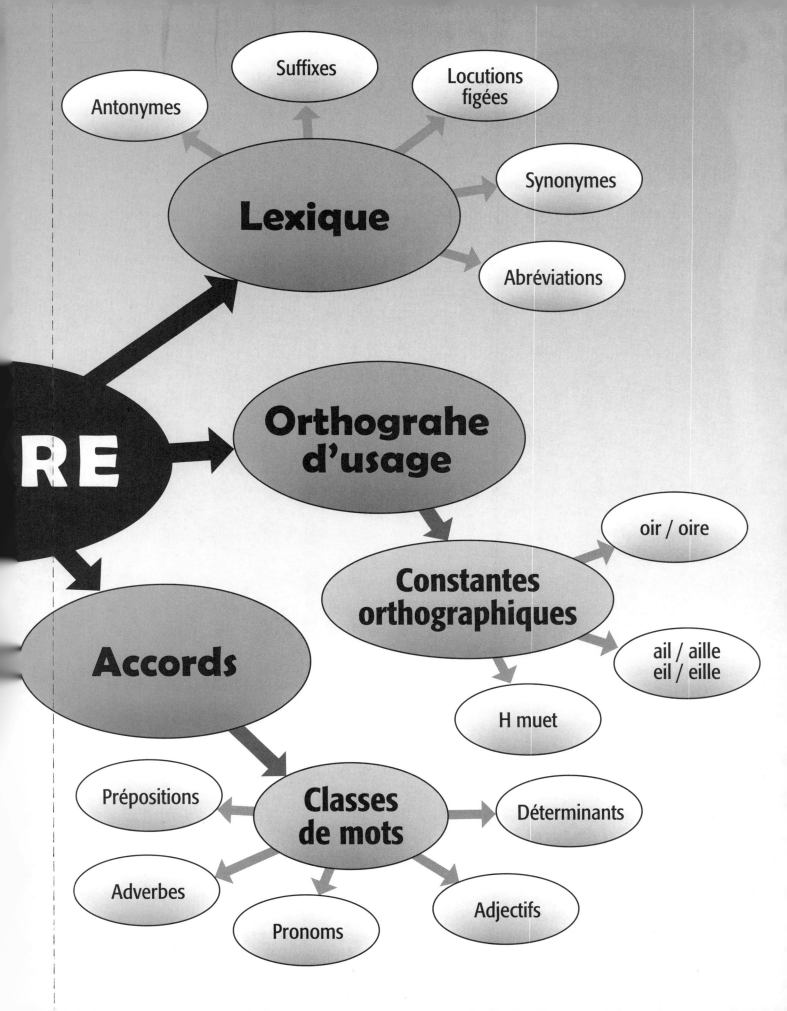

Corrigé

Page 10

1. a) Tu as de la difficulté à te débrouiller, tu es maladroit.

b) Le résultat ne vaut pas les efforts fournis.

c) Nous devrons tirer au sort.

d) Nous ne devons pas nous énerver, nous mettre en colère.

e) J'ai tendance à trop m'attarder aux détails, aux subtilités.

f) Nous avons réussi malgré les nombreux obstacles.

g) Elle a précisé, clarifié la situation.

Page 11

2.

a) Avoir perdu la carte.

b) En dents de scie.

c) Faire la grasse matinée.

d) C'est une autre paire de manches.

e) Se serrer la ceinture.

1. Se lever tard, prendre son temps.

2. Tenter d'économiser, prévoir un budget.

3. Avoir des hauts et des bas.

4. Être dans une autre situation.

5. Être mêlé, ne plus avoir de repères.

3. a) Faux. On en retrouve dans tous les registres de langue.

b) Vrai

Page 12

4. Il y a plus de dix ans que je pratique le métier de spéléologue secouriste. Vous savez ce que je fais, en tant que spéléologue ? En fait, je joue différents rôles, mais une chose est certaine, je suis au travail dans une partie cachée de la Terre : le sous-terrain. J'ai donc <u>roulé ma bosse</u> en me promenant d'un endroit à l'endroit à la recherche de nouveaux terrains de jeux, et surtout dans l'espoir de faire de belles découvertes. Ma dernière expédition, en Espagne, remonte à un peu plus d'une semaine. Lorsque nous sommes <u>arrivés à bon port</u>, la chaleur était accablante, et nous avons dû nous y habituer rapidement pour accomplir notre travail. La recherche était plus difficile que ce l'on croyait, mais nous avons <u>mis les bouchées doubles</u>. Nos efforts ont été joyeusement récompensés avec une découverte qui <u>a eu l'effet d'une bombe</u> dans le milieu scientifique !

Page 11

1. Plusieurs réponses possibles dans plusieurs de ces énoncés. Voici quelques exemples.

a) Nous traitons souvent de cette profession dans les (tragédie) **comédies** télévisuelles.

b) Les embauches sont en (réduction) **hausse / augmentation** dans ce domaine.

c) Le taux de placement est très (inquiétant) **rassurant / apaisant** pour mes élèves.

d) Il ne s'agit pas d'une tâche facile de (libérer) **capturer** ces animaux.

e) Le mandat lui a été confié, puisqu'elle démontre une (lenteur) **vitesse / rapidité** d'exécution incroyable au travail.

f) Cette nouvelle technologie viendra grandement aider la (destruction) **construction** de ce pont.

g) Le travail de nuit est souvent boudé, puisqu'il est difficile pour plusieurs employés de demeurer (endormi) **éveillés / alertes / réveillés**.

h) Ce travail n'est manifestement pas pour quelqu'un de (brave) **peureux / craintif**.

i) Malgré toutes les difficultés qu'elle a rencontrées durant ses années de travail, Denise n'a jamais eu envie d' (persévérer) **abandonner** son équipe.

j) Le salaire annuel moyen pour cet emploi permet de vivre une vie (pénible) **agréable / confortable**.

Page 14

2.

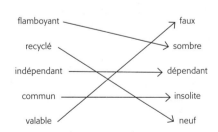

flamboyant — faux
recyclé — sombre
indépendant — dépendant
commun — insolite
valable — neuf

3. a) Vrai

b) Vrai. Le contexte est primordial dans l'analyse.

Page 15

4. Parfois, nous les voyons dans la rue, lors d'un souper-spectacle, ou encore à la télévision. Mais peu importe l'endroit, les illusionnistes nous impressionnent toujours parce qu'ils savent nous surprendre. Avec leurs mains agiles et leur discours enchanteur, ils savent nous transporter dans un univers où l'(explicite) **implicite** est maître. Tout réside dans les petits détails et dans une exécution chronométrée. Le numéro peut donc devenir (intéressant) **ennuyeux** si tel mouvement arrive une seconde trop tard… Nous pouvons nous demander jusqu'où vont leurs capacités dans la vie de tous les jours. Sont-ils capables de faire (apparaître) **disparaître** quelqu'un d'un claquement de doigts ou peuvent-ils se faire (injustice) **justice** eux-mêmes? Bref, peu importe les secrets derrière les numéros présentés, nous pouvons croire que ce métier relève plus de l'art que de la magie!

5. Les mots *audasse* et *distrès* doivent être encerclés. Les formes correctes sont *audace* et *distrait*.

Page 16

1. a) Claire a dû changer de métier, car elle était **hyper**sensible aux produits utilisés ici. Nous devrons être **hyper**vigilants lors de nos prochaines embauches.

à un niveau supérieur

b) Je viens tout juste d'envoyer un **auto**portrait à mon éditeur qui pourrait être utilisé dans mon **auto**biographie.

soi-même

c) Dans notre centre d'**audio**logie, nous pouvons demander aux clients de faire un **audio**gramme afin de bien évaluer leurs capacités.

entendre

d) Ces **cosmo**nautes, qui enseignent au **Cosmo**dôme, peuvent témoigner de la grandeur et de la beauté du cosmos.

univers, monde

e) Il y a plusieurs décennies, il n'était pas rare d'utiliser les **électro**chocs comme traitement en psychiatrie, alors qu'on couvrait les patients d'**électro**des.

électricité

Page 17

2.

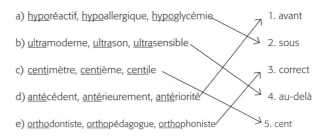

a) hyporéactif, hypoallergique, hypoglycémie — 2. sous
b) ultramoderne, ultrason, ultrasensible — 4. au-delà
c) centimètre, centième, centile — 5. cent
d) antécédent, antérieurement, antériorité — 1. avant
e) orthodontiste, orthopédagogue, orthophoniste — 3. correct

3. a) Faux. Ex.: zoo-, zygo-.
b) Vrai

Page 18

4. Depuis quatre générations, ma famille dirige dans notre région un centre funéraire. En fait, il s'agit également de notre maison. Bien des gens semblent effrayés lorsque je nomme le métier de mes parents. J'ai même des amis qui étaient (négatif) **mé**contents de venir chez moi la fin de semaine dernière. Cependant, lorsque nous avons la chance de bien expliquer ce que représente le travail fait par les thanatologues, les réactions sont moins (absence, non) **a**normales. Bien certainement, nous pensons aux rites funéraires connus comme l'embaumement, mais nous oublions tous les autres aspects, comme la gestion, l'aide aux familles ou même le rôle de conseiller dans l'organisation des différentes étapes. Je n'ai pas honte de parler de la profession que ma famille a choisi d'exercer, bien au contraire. J'ai même fait ma demande d'admission au cégep afin de (achèvement) **par**faire à mon tour toutes ces compétences difficiles à acquérir et à expliquer. Ainsi, je ne serai pas un (de soi-même) **auto**didacte.

Page 17

1. a) Ce métier lui convient très bien, car il devient agressif lorsqu'il n'est pas assez actif. *Suffixe -if. Signifie: caractère.*

b) Le chef doit savoir manier différents outils en cuisine comme un hachoir, une passoire ou encore un séchoir à pâtes. *Suffixe -oir(e). Signifie: instrument.*

c) Ce journaliste doit toujours avoir son téléphone à portée de la main, puisqu'il s'en sert souvent comme microphone lors d'entrevues. *Suffixe -phone. Signifie: transmettre.*

d) Les scientifiques de ce laboratoire ne s'entendent pas sur la nature de l'alimentation de cette espèce. Était-elle <u>omnivore</u> ou <u>herbivore</u>?
Suffixe -vore. Signifie: manger, mangeur.

e) Certaines notions apprises au secondaire me sont encore utiles dans mon travail, notamment l'étude des <u>polygones</u> comme les <u>hexagones</u> ou les <u>pentagones</u>.
Suffixe -gone. Signifie: angle.

f) Dans certains cas, nos mesures se prennent plus facilement avec un <u>thermomètre</u>, alors que dans d'autres situations, nous préférons le <u>pyromètre</u>.
Suffixe -mètre. Signifie: mesure.

Page 20

2.

a) claustro<u>phobie</u>, agora<u>phobie</u>, arachno<u>phobie</u> → 1. collection

b) observat<u>oire</u>, conservat<u>oire</u>, parl<u>oir</u> → 2. peur

c) filmo<u>thèque</u>, audio<u>thèque</u>, biblio<u>thèque</u> → 3. lieu

d) nettoy<u>age</u>, repass<u>age</u>, mass<u>age</u> → 4. origine

e) franç<u>ais</u>, polon<u>ais</u>, portug<u>ais</u> → 5. action

3. a) Vrai

b) Faux, ça peut se produire, mais pas tout le temps.

Page 21

4. Le téléphone sonne et personne ne répond. Pourtant, nous sommes tous en congé et mes parents devraient être à l'étage. Je me lève donc (**de façon** précipitée) précipitam**ment** afin de décrocher avant la dernière sonnerie. Au bout du fil, un (**métier de** vente) vend**eur** désire discuter avec ma mère. Je trouve finalement tout le monde au salon. Mon père est confortablement installé dans son fauteuil à boire un thé (**vient de** l'Écosse) écoss**ais**, ma sœur est en plein (**action de** bavarder) bavard**age** avec ma cousine sur son cellulaire et ma mère joue une partie d'échecs à l'ordinateur. Elle me demande qui téléphone. Je l'informe que l'homme se présente comme étant un verbicruciste du journal local. Maman semble heureuse et mon père roule des yeux en m'informant qu'un verbicruciste est un auteur de mots croisés. Incapable de prononcer le nom de ce métier, je retourne (**de façon** paisible) tranquille**ment** au sous-sol en espérant retrouver le sommeil.

5. Les mots *parcour* et *tantot* doivent être encerclés. Les formes correctes sont *parcours* et *tantôt*.

Page 22

1. a) L'horticulteur doit savoir différencier les <u>pétunias</u> des <u>orchidées</u> ou des <u>lys</u>. (êtres vivants, **fleurs**, arbustes)

b) Sur l'heure du dîner, Raphaël adore préparer des sandwichs pour tous ses collègues en prenant soin d'y ajouter de la <u>moutarde</u>, de la <u>mayonnaise</u> ou du <u>beurre</u> au goût de chacun. (sauces, conserves, **condiments**)

c) Le chef adore cuisiner des mets indiens, puisqu'il peut découvrir le <u>cumin</u>, le <u>curcuma</u> et le <u>cari</u>. (**épices**, sels, légumes)

d) Le <u>cor français</u>, la <u>trompette</u> et le <u>trombone</u> font partie d'une même grande famille musicale. (loisirs, **instruments**, appareils)

e) Cet architecte aménage son nouveau bureau et demande à ce qu'un <u>lustre</u>, une <u>lampe de table</u> ainsi qu'une <u>lumière murale</u> soient installés. (décoration, meubles, **luminaires**)

f) Emma se prépare pour son entrevue et hésite entre mettre ses <u>bottillons</u>, ses <u>souliers</u> ou ses <u>bottes</u>. (**chaussures**, chaussettes, survêtements)

g) Lors de son entretien ménager, Claudie remarque qu'elle devra acheter un <u>savon pour la vaisselle</u>, un <u>détergent à lessive</u> et une <u>crème de polissage</u> pour le four. (produits pharmaceutiques, **produits ménagers**, produits cosmétiques)

Page 23

2.

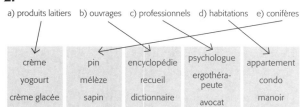

a) produits laitiers b) ouvrages c) professionnels d) habitations e) conifères

crème	pin	encyclopédie	psychologue	appartement
yogourt	mélèze	recueil	ergothérapeute	condo
crème glacée	sapin	dictionnaire	avocat	manoir

3. a) Vrai

b) Vrai

Page 24

4.

C'est ma première soirée en tant que client mystère pour une compagnie

d'enquêtes commerciales. Ma première mission : évaluer un restaurant de mon

coin. Je crois que je vais aimer ce travail ! J'entre dans l'établissement et la jeune

fille à l'accueil m'indique ma <u>meuble</u>. Le décor me plaît, et jusqu'à présent, le
                                table

service est chaleureux. Le serveur m'apporte le menu et je décide d'essayer leur

délicieuse <u>entrée</u> chaude au brocoli. Un impressionnant choix de <u>boissons</u> de
              soupe/potage/crème   *jus/cocktails*

fruits est au menu et je me laisse tenter par leur cocktail à la mangue. Tout en

savourant mon excellent <u>repas</u>, je regarde le soleil se coucher à l'horizon. Je règle
                             souper

ma facture et me dirige vers <u>mon véhicule</u> qui est stationnée tout
                          ma voiture/moto

près. J'ai bien l'intention d'écrire un commentaire positif sur ce resto !

Page 26

1.

                                      possessif démonstratif

a) **Cette** expérience n'a pas été satisfaisante. Nous devrons recommencer. — possessif ☐, démonstratif ☒

b) Les enfants de cette école participent à l'étude de **notre / mon** oncle. — possessif ☒, démonstratif ☐

c) **Ce** génie des mathématiques fera le lancement de sa dernière publication demain. — possessif ☐, démonstratif ☒

d) **Mes** brevets nous permettront d'aller chercher plusieurs investisseurs. J'ai donc contribué à l'avancement de la science. — possessif ☒, démonstratif ☐

e) Dans ce résumé, vous nous faites part de **vos** inquiétudes et d'éventuelles questions. — possessif ☒, démonstratif ☐

f) **Leurs** bagages sont si lourds qu'ils devront payer un surplus à l'aéroport. — possessif ☒, démonstratif ☐

Page 27

2.

Ses → opinion est très importante dans notre processus de recherche.

Plusieurs → enfants provenant de la même grossesse sont dits jumeaux.

Deux → avantages demeurent encore à découvrir.

Votre → laboratoire doit être complètement rénové.

Mon → études suggèrent de cesser l'utilisation de ce produit.

(Les flèches relient :
Ses → enfants provenant de la même grossesse sont dits jumeaux.
Plusieurs → études suggèrent de cesser l'utilisation de ce produit.
Deux → avantages demeurent encore à découvrir.
Votre → laboratoire doit être complètement rénové.
Mon → opinion est très importante dans notre processus de recherche.)

3. a) Faux
    b) Faux

Page 28

4. Lorsque nous parlons d'inventions ayant changé le monde, nous avons rapidement en tête des images comme des fusées ou encore d'un médicament qui nous protégerait contre toutes les maladies. Mais, souvent, **ces** inventions marquantes des **cinq / quelques** dernières décennies se cachent dans de bien petites choses du quotidien. **Un** bon exemple de chez nous vient de la ville de Drummondville, où monsieur Jean St-Germain habitait. Il est l'homme derrière le concept des biberons sans air actuellement commercialisés. Lorsqu'il était à peine âgé de 16 ans, **ce** dernier a vendu **l'**idée à une grande compagnie pour la somme de 1000 $. Depuis cette invention, des millions de biberons de ce genre se sont vendus un peu partout dans le monde !

5. Les mots *géographi* et *moustic* doivent être encerclés. Les formes correctes sont géographie et *moustique*.

Page 29

1. a) Ce sujet semble suffisamment **intéressant** pour retenir l'attention du public.

b) Mon inspiration me vient de ce magnifique ciel **bleu**.

c) Après avoir reçu les résultats tant attendus, l'équipe semblait **détendue / curieuse / compétente**.

d) Plus jeune, ce scientifique se faisait remarquer par son côté **curieux / compétent**, surtout dans ses cours de chimie.

e) Rien ne sert de continuer, refaisons cette structure **ronde / carrée**.

f) Avec son appétit insatiable, cette femme **gourmande** a terminé sa boîte de chocolats rapidement.

g) Le matériel utilisé dans cet essai devra être modifié. Il est trop **résistant** à la chaleur.

h) Nous devrons nous procurer une table **carrée** puisque la ronde ne convient pas à cet espace.

Page 30

2.

plat	**économique**	**rayé**
élément	aviation	**ouverte**
passage	tous	**éteint**
perdu	**neuf**	mélange
pays	agriculture	rangement

3. a) Vrai, frais et fraîche par exemple.

b) Vrai

Page 31

4.

Mon père semble de très <u>bon</u> humeur ce matin et il se promène dans la maison en
_____ *bonne* _____

sifflant un air <u>enjouée</u>. En arrivant dans ma chambre, il m'annonce qu'il vient de se
_____ *enjoué* _____

procurer une motoneige <u>neuf</u> et que l'on part pour la fin de semaine afin d'en faire
_____ *neuve* _____

l'essai. Depuis quatre <u>longue</u> années, je rêve de ces promenades <u>excitantes</u> sur la
_____ *longues* _____

neige avec mes parents. J'ai tellement hâte d'explorer les <u>petites</u> forêts ou encore les
_____

villages qui me sont toujours <u>inconnu</u>. Je m'empresse de faire ma <u>gros</u> valise et je
_____ *inconnus* _____ *grosse* _____

rejoins mes parents, qui sont déjà dans le camion. Vous saviez que c'est au Québec
_____

qu'a été créée la <u>première</u> voiture à neige? C'est logique, quand on y pense : c'est ici
_____

que les conditions sont les plus <u>belle</u> pour l'utiliser!
_____ *belles* _____

Page 32

1. a) Ta dernière idée est meilleure que **la sienne / celle-ci**. Simon ne gagnera pas, cette fois.

b) **Il / Elle** préférera te laisser choisir comment la nouvelle sera annoncée.

c) Mylène devra revenir au bureau rapidement. **Elle** y a été convoquée.

d) À ma grande surprise, **je** peux proposer ma candidature et être éligible au prix de la plus grande invention.

e) Nos deux maisons se ressemblent, mais **la mienne** est un peu plus petite que la sienne.

f) **Nous** serions très heureux de vous recevoir bientôt.

g) Celui-ci nous permettrait d'obtenir plus de vitesse alors que **celui-là** nous assure une qualité de fabrication.

Page 33

2.

celles-là — Cette idée surpassera _____ puisque nous avions oublié un facteur important.

eux — Les installations de Pierre semblent moins solides que _____.

toi — Ce sont _____ qui devraient porter le blâme.

la nôtre — _____ et moi serons toujours en accord sur ce sujet.

les siennes — J'ai cru voir celles-ci avant Béatrice, elle qui a vite repéré _____.

3. a) Vrai

b) Vrai

Page 34

4. Montréal est l'une des villes les plus importantes au pays, et comme vous (**le**, la, les) savez sans doute déjà, <u>qui dit grande ville dit circulation compliquée</u>. Il y a quelques années déjà, une idée pas ordinaire a vu le jour grâce au projet BIXI-Montréal. <u>Le concept</u> est simple et se veut facile d'utilisation pour les usagers. (**Il**, Lui, Celle-là) s'agit d'un service de location de vélos libre-service. Un peu comme lorsque nous allons faire le plein d'essence à la pompe! <u>Les utilisateurs</u> n'ont qu'à se présenter à l'une des nombreuses stations de vélos existantes, à payer le forfait désiré, et (ceux-là, **les**, le) voilà partis vers leur destination. <u>Les usagers</u> n'auront aucun souci de circulation grâce à (son, votre, **leur**) moyen de transport; ils arriveront à bon port en un rien de temps. De plus, ils profiteront d'une petite séance d'exercice et feront attention à cette <u>belle planète</u> qu'est (la vôtre, la notre, **la nôtre**)!

5. Les mots *poummon* et *facade* doivent être encerclés. Les formes correctes sont *poumon* et *façade*.

Page 35

1. a) Il lui <u>donna</u> son accord (lentement, **aveuglément**, certainement), sans trop réfléchir.

b) (Localement, Lourdement, **Dernièrement**), nous avons <u>remarqué</u> de gros changements dans son comportement.

c) Nous sommes obligés de comparer les <u>recherches</u> d'ici et (de près, **d'ailleurs**, de loin).

d) Depuis la publication de ces travaux, on en entend <u>parler</u> (derrière, auparavant, **partout**).

e) Elle <u>a</u> (jamais, nullement, **tellement**) <u>tenu</u> à rester discrète que le contraire s'est produit, et ce, contre son gré.

f) Les locaux sont devenus (**trop**, justement, quasiment) petits : nous devrons déménager sous peu.

g) Je vérifierai ces informations juste (pendant, **après**, avant) le match, qui est commencé depuis quelques minutes déjà.

h) Ce buffet (**à volonté**, au-delà, à temps) saura combler notre appétit.

Page 36

2. Plusieurs réponses possibles. Voici quelques exemples.

a) Je vais **assurément / probablement / sans doute** choisir le gris, puisqu'il s'agit de ma couleur préférée.

b) **Certes / Bien sûr / En vérité**, je ne possède pas sa richesse, mais je peux tout de même défendre mon point.

c) **Premièrement / D'abord**, je vais devoir vérifier vos sources, et par la suite, nous procéderons à la diffusion de l'information.

d) En cherchant dans les différents sites d'informations, je trouverai **probablement / sans doute / peut-être** quelques indices.

e) Mon collègue a toujours su comment expliquer **calmement / doucement / clairement** les conséquences des mauvaises décisions aux apprentis.

3. a) Faux. Par exemple : *très, trop, jamais, environ.*

b) Vrai

Page 37

4. Journée de tempête, journée de congé d'école ! J'adore la neige pour plusieurs raisons, mais je crois que ces congés forcés figurent en tête de liste. On annonce encore quelques centimètres durant la journée et il fait un soleil magnifique (extérieur) **dehors**. Même mes parents ne peuvent sortir leur voiture du garage. Mon père devra (de façon affirmative) **certainement / probablement / sans doute** utiliser sa souffleuse toute la journée afin d'éviter les accumulations excessives. Durant ces tempêtes, il est difficile d'imaginer notre quotidien sans déneigeuses ou souffleuses sillonnant la ville. Grâce à de brillants inventeurs canadiens, nous pouvons (ce jour) **maintenant / aujourd'hui** revenir à nos occupations (rapide) **rapidement** après une immense bordée. Bref, je suis bien fier de nos génies canadiens, mais leurs bonnes idées m'empêchent quand même de prolonger mon congé sur plusieurs jours !

Page 38

1. a) J'ai accepté ce contrat à l'extérieur du pays (hors, jusqu'à, **malgré**) moi.

b) Les deux femmes ont démontré une force de caractère (sauf, selon, **depuis**) le début de leur carrière.

c) (Jusqu'à, Sous, **Chez**) Lambert, personne n'est autorisé à visiter le bureau situé au deuxième étage.

d) Il sera primordial de demeurer très concentré (par, sans, **pendant**) les semaines à venir.

e) L'équipe de recherche est en route (afin de, d'avec, **vers**) le site d'exploration.

f) (Hormis, De peur de, **Devant**) cette évidence, les donateurs potentiels se sont ravisés.

g) J'ai décidé qu'après mes études, je suivrais les traces de mon père, (avec, pendant, **contre**) son gré…

h) Vous pourriez poser votre candidature (sauf, **à condition de**, afin de) promettre de déménager tout près.

Page 39

2.

afin de — Les étudiants doivent tous remplir ce questionnaire de stage, _____ les anciens stagiaires.

hors de — Les lois changent beaucoup lorsque notre travail se fait _____ notre territoire habituel.

en — Il demeure difficile de faire un choix _____ tous les domaines offerts par cette école spécialisée.

parmi — Cette liste contient différentes formules utilisées _____ chimie avancée.

sauf — Cette ressource a été proposée _____ nous enlever un peu de travail.

3. a) Vrai

b) Faux

Page 40

4. Pour plusieurs Québécois, le rituel du matin comprend un bon déjeuner (pendant, sans, **avec**) plusieurs ingrédients variés. Cependant, un chouchou tant des petits que des grands revient toujours dans la liste des essentiels du déjeuner, et ce, depuis plusieurs années : le beurre d'arachide. Qu'on apprécie sa texture crémeuse ou encore son croquant, dans certaines versions, il n'en demeure pas moins qu'il s'agit d'un incontournable (par, **pour**, contre) plusieurs familles. Si l'on en croit la petite histoire du beurre d'arachide, ce serait un pharmacien québécois

---

qui en aurait concocté le premier (pour, an, **en**) voulant offrir à quelques patients un aliment nutritif, mais qui soit un peu plus facile à mastiquer. Il aurait donc ajouté un peu de sucre (**dans**, dent, pendant) une pâte d'arachide et voilà, le tour était joué ! Gageons qu'à l'époque, il n'avait pas prévu la popularité de cette idée savoureuse !

5. Les mots *chaufeur* et édifise doivent être encerclés. Les formes correctes sont *chauffeur* et édifice.

Page 42

1. a) Plusieurs inventeurs **q**uébécois exportent leur savoir à l'extérieur des frontières **c**anadiennes.

b) L'**O**ntario se classe bon deuxième dans notre liste **f**édérale.

c) Mme **T**remblay ne peut nous répondre et devra s'adresser à M. **R**obert, qui se trouve actuellement en **A**ustralie.

d) Le fleuve **S**aint-**L**aurent est reconnu pour sa grandeur et sa beauté à travers le **m**onde entier.

e) Les **G**odin se rassemblent toujours la veille de **N**oël.

f) Le **Q**uébec est souvent cité en exemple pour ses ouvrages au sujet des **I**nuits.

g) **F**élix-Antoine et sa **s**œur seront présents lors de votre évènement-bénéfice au profit du centre hospitalier **S**ainte-**J**ustine.

Page 43

2.

Majuscule	Minuscule
Afrique	montréalais
Pacifique	femme
Cendrillon	océan
Amérindien	jeudi
Paris	
Clara	

3. a) Vrai
b) Vrai

Page 44

4.

Artistes verriers ou souffleurs de verre : peu importe comment on les nomme, ce

sont de véritables créateurs. L'origine de ce métier semble remonter jusqu'aux

Phéniciens ou aux Babyloniens. Peu importe le Peuple, le verre soufflé touche
peuple

plusieurs époques de notre histoire. De nos jours, les Artistes travaillent le verre à
artistes

une chaleur impressionnante afin de faire ressortir toutes les transparences et la

profondeur des pièces conçues. Certains souffleurs sont même devenus célèbres

Internationalement grâce à leur travail du verre soufflé. On peut penser à l'Américain
internationalement

Dave Chihuly, qui a fait une exposition au Musée des Beaux-Arts de Montréal il y a
beaux-arts

quelques années.

Page 45

1. a) Voici votre chèque de <u>trente-neuf milles</u> dollars.
trente-neuf mille OU trente-neuf-mille

b) Nous vous donnons donc rendez-vous au <u>quatre-cents</u>, boulevard Lima.
quatre cent OU quatre-cent

c) Selon cette enquête, environ <u>cent-cinquante</u> personnes doivent y retourner plus d'une fois dans leur vie.
(correct OU cent cinquante)

d) Cette bâtisse doit faire au moins <u>quatre-vingts-cinq</u> mètres de haut.
quatre-vingt-cinq

e) Cette ampoule doit être changée par une autre qui consomme au plus <u>soixantes</u> watts à l'heure.
soixante

f) Lorsque vous aurez terminé les pages <u>trente-six</u> et <u>quarante-deux</u>, vous corrigerez le chapitre <u>treizes</u> en entier.
treize

g) Après <u>vingt deux</u> ans de mariage, ils ne pouvaient plus habiter ensemble dans leur merveilleuse maison des années <u>vingts</u>.
vingt-deux   vingt

Page 46

2.

Forme correcte	Forme fautive
quatre livres	trois milles personnes Il faut écrire : trois mille.
quatre-vingt-huit pommes	trente-un chevaux Il faut écrire : trente et un.
page quarante-quatre	
trois-mille-quatre-cents poules	

3. a) Vrai

b) Faux. On écrit par exemple : trois <u>quarts</u>.

Page 47

4.

Vous connaissez le chapelier fou dans *Alice au pays des merveilles* ? Il s'agit

effectivement d'un personnage assez coloré aux <u>mille et une</u> habitudes loufoques !

Et vous savez pourquoi il porte ce nom ? Peut-être avez-vous fait le lien avec

son chapeau assez proéminent ! De nos jours, le métier de chapelier est moins

connu, mais jusqu'aux années <u>mille-neuf-cents-cinquante</u>, toutes les grandes villes
mille-neuf-cent-cinquante

avaient le leur (et pas fou du tout !). Le chapelier est un fabricant et un vendeur

de chapeaux classiques pour hommes et femmes. Selon sa créativité, le chapelier

pouvait jadis offrir un chapeau avec <u>vingt-une</u> fleurs ou encore <u>deux-cents</u> perles à
vingt et une

une dame cherchant à égayer sa tenue de soirée. Heureusement, dans les années

<u>deux-milles</u>, ce métier d'art a su demeurer présent ; le chapeau reste un petit luxe
deux mille OU deux-mille

qu'on aime s'offrir !

5. Les mots *adition* et *mâchoir* doivent être encerclés. Les formes correctes sont *addition* et *mâchoire*.

Page 48

1. a) Certains peintres préfèrent pratiquer leur art sur de la vaisselle, comme sur une (asiette, assiete, **assiette**) ou une tasse.

b) Puisque le métier de sculpteur n'est pas toujours facile, il faut avoir une passion (intence, **intense**, intanse) pour se bâtir une carrière.

c) L'inspiration des artistes peut se trouver dans tous les objets du quotidien, même dans un (**dictionnaire**, dictionaire, dictionnère) !

d) Selon l'(engle, **angle**, angl) d'observation, une œuvre peut être interprétée de différentes façons.

e) Je viens juste de recevoir ce gros (koli, coli, **colis**), qui arrive tout droit d'Europe.

f) Si l'on se fie à cette ancienne (**croyance**, croyence, croience) japonaise, les métiers d'art seraient bénis.

g) Les souffleurs de verre doivent être très prudents afin d'éviter les (brûlur, **brûlures**, brûllures).

h) Le port de la (blouze, blousse, **blouse**) de protection est vivement recommandé en poterie.

i) Quelques artistes (**célèbres**, sélèbres, séllèbres) peuvent se vanter d'être reconnus lors de voyages à l'extérieur du pays.

j) Cette soirée de (consert, concer, **concert**) servira à financer les soins destinés aux enfants.

k) En plus d'être magnifique, ce tableau nous permettra de créer une (divizion, **division**, divission) entre les deux bureaux.

l) Depuis qu'il est (gamain, **gamin**, gamein), il rêve de créer une nouvelle forme d'art.

Page 49

2.

a) Action de réclamer quelque chose. — 2. revendication

b) Action faite dans un but de prévention des risques. — 4. précaution

c) Territoire ou surface terrestre d'une des parties de la Terre. — 5. continent

d) Forme de respect démontrée à quelqu'un. — 3. politesse

e) Quelqu'un qui a quitté son pays d'origine afin d'échapper à un danger. — 6. réfugié

f) Contrat donné ou reçu afin d'accomplir quelque chose pour quelqu'un. — 1. mandat

3. a) Vrai. Ex. : *clef* et *clé*.

b) Vrai. Ex. : un décès, un débris.

Page 50

4. C'est le grand jour! Parents et amis se sont réunis pour assister à mon premier concert de violon. Je suis confiant, je connais bien mes partitions et je peux pratiquement les jouer les yeux fermés. Plus que quelques minutes avant mon (entré, **entrée**, entrer) en scène; je ferais mieux de sortir mon violon et mon (caier, cahié, **cahier**) de préparation. Catastrophe! Mon violon a été abîmé dans le transport. Je n'arrive pas à le croire. Mon chef d'orchestre me demande d'aller voir le luthier en (**vitesse**, vitese, vitaisse). Je cours vers le local indiqué, mais je ne sais pas trop comment cet homme pourra m'aider. Lorsque je me présente à son bureau, le luthier sursaute et saisit mon instrument. (Mirakle, Mirracle, **Miracle**), il s'agit du professionnel qui s'occupe de réparer les instruments à cordes en cas de (brie, bris, bri). Vraiment, je crois que mon école de musique a tout prévu, même l'(inprévisible, **imprévisible**, imprévissible)!

Page 51

5. a) La (popullation, **population**, populasion) découvre enfin les talents de chez nous.

b) Le centre d'arts de ma région a célébré son (**ouverture**, ouvertture, ouvertur) officielle la semaine dernière.

c) On reconnaît ses œuvres à une petite (grife, **griffe**, griphe) dessinée au bas du tableau.

d) Tu devrais trouver ce que tu cherches dans le (placart, placars, **placard**).

e) Ce (**plateau**, plato, platto) est fait en bois canadien et s'ajoute à notre nouvelle collection.

f) Le conférencier a dû annuler sa visite puisqu'il a attrapé un vilain (rume, ruhme, **rhume**).

g) Les (**tarifs**, tarrifs, tariffs) peuvent sembler élevés, mais il s'agit de vraies pierres précieuses.

h) Avec cette nouvelle boutique en ville, le (tourisme, thourisme, **tourisme**) va probablement se développer.

i) Afin de rencontrer d'autres personnes du (réso, **réseau**, résso), je participerai au prochain congrès.

j) Il y a en (moienne, **moyenne**, moyen) une centaine de personnes qui assiste à ce genre d'évènement.

k) La vue de ce (mond, **mont**, mons) est vraiment inspirante.

Page 52

6.

a) Petite accumulation d'eau peu profonde souvent entourée de végétation. — 1. caprice

b) Préparation qui ressemble à une pâte et qui est souvent utilisée comme soin. — 2. marais

c) Action de laver ses vêtements ou sa literie. — 3. pommade

d) Demande soudaine, souvent non essentielle, qui est sujette au changement. — 4. potager

e) Jardin dans lequel on fait pousser des plantes, des fruits et des légumes. — 5. lessive

7. a) Faux. Il en existe 7: I, V, X, L, C, D et M.

b) Faux

Page 53

8. J'ai toujours aimé la (vaiselle, **vaisselle**, vèssele) et tout ce qui entoure l'art de la table. Plus jeune, dès que j'arrivais chez ma grand-mère, j'accourais dans la salle à manger afin de voir la table dressée. Ma grand-mère prenait toujours soin d'y déposer plusieurs objets (enciens, ansiens, **anciens**) ayant appartenu à sa grand-mère ou à une vieille tante. J'aimais tous les détails: la lumière qui passait à travers les verres en (crystal, **cristal**, kristal), les couverts reluisants en argent ou encore les serviettes de table bien enroulées dans un (**anneau**, aneau, annau) en or. Je trouve qu'en plus d'être belles à voir, ces attentions envoient un grand message d'amour aux invités tant attendus! Cet amour pour la vaisselle et tout ce qui l'entoure m'a permis de choisir le (métié, **métier**, méttier) que j'exercerai plus tard: je serai orfèvre. En plus de conseiller mes clients dans leurs choix d'(artticles, artikles, **articles**) en or ou en argent, je pourrai fabriquer les plus belles pièces afin de les offrir à ceux que j'aime.

Page 54

1.

jardint	examen	**ballond**
fleur	**cotond**	**sofat**
imagination	pois	lampe
sentier	roux	foyer
clef	contrat	membre
outil	mot	blonde
oeile	temps	**lavabot**
fantaisie	aile	sabot
oiseault	**cafée**	jus
ombrage	deux	lait
fraîcheure	**bole**	bague

Page 55

2. a) Le melon miel est souvent appelé
un c**antaloup** par erreur.   olatnaup

b) Lors de funérailles, il faut faire
preuve de r**espect** envers la famille.   ecespt

c) Cette bague ornée d'un r**ubis**
a été volée.   sbiu

d) Il faudra faire attention au ne pas
p**lafond** bas afin de ne pas se
cogner la tête.   dnlaof

e) Il mange tellement que son a**ppétit**
semble grandissant.   pttiép

f) Méfiez-vous de ce m**archand**, il a
la réputation de vendre des objets
abîmés.   rdancha

3. Vrai

Page 56

4. Je dois retourner mes livres à la bibliothèque municipale ce matin, mais l'entrée semble bloquée par plusieurs (barières, **barrières**, barriaires). Je me dirige donc vers l'accès de derrière et j'arrive ainsi à entrer dans la bâtisse. Juste avant que je descende les (escaliés, escalliers, **escaliers**) vers la chute à livres, quelque chose d'étincelant attire mon (**regard**, regart, regars). L'entrée principale est fermée puisqu'il y a une équipe de mosaïstes qui s'affaire à réaliser une des plus belles mosaïques que j'ai pu voir jusqu'ici. Je m'approche et remarque que ces artistes ont décidé de rendre (ommage, **hommage**, homage) aux (**bâtisseurs**, bàtisseurs, batisseurs) de notre belle ville en racontant une partie de notre histoire par une image. Les couleurs sont magnifiques et le travail est minutieux. Cependant, ce qui m'impressionne le plus, c'est le nombre de petites tesselles de verre qui a été utilisé pour réaliser cette mosaïque. Chaque petite pièce doit être d'abord bien taillée et ensuite déposée exactement au bon endroit afin de créer le mouvement souhaité dans cette œuvre d'art. Cette mosaïque sera une raison (**supplémentaire**, supplémentaire, supplémantaire) pour venir plus souvent à la bibliothèque !

Page 58

1. a) Le parcours de la visite de cet attrait touristique étonnera (**étonner**) plusieurs personnes.

b) Votre forfait voyage inclut (**inclure**) deux billets d'entrée pour le musée d'histoire de ce peuple.

c) Le pont sera suspendu (**suspendre**) sur plusieurs mètres.

d) La salle d'exposition accueille (**accueillir**) jusqu'à cent visiteurs à la fois en cas de pluie.

e) Pénélope s'ennuie (**ennuyer**) pendant la visite guidée de la pyramide.

f) Clara est tellement heureuse puisqu'elle a guéri (**guérir**) ce petit oiseau blessé.

g) Les guides rangent (**ranger**) leurs effets personnels sous leur siège et nous demandent de faire de même.

h) Léo inscrit (**inscrire**) son nom sur la liste pour assister à la représentation de demain.

i) Mon père et ma mère reprennent (**reprendre**) leur souffle après la montée de la colline.

j) Vous devrez (**devoir**) vous présenter au guichet 7 avant midi.

Page 59

2.

a) ignorer   Maude veut _____ un croquis de l'endroit afin de le montrer à ses amies à son retour.

b) surprendre   Les propriétaires souhaitent _____ le parcours afin de faciliter l'accès aux personnes à mobilité réduite.

c) adapter   Le site ne cesse de changer car les arbres et les plantes ne cessent de _____.

d) grandir   Ces visiteurs préfèrent _____ les consignes de sécurité en escaladant cette clôture.

e) dessiner   La hauteur de cette construction risque de _____ tout le monde !

3. a) Faux

b) Vrai

Page 60

4. La pyramide de Khéops, un roi égyptien, est la seule merveille du monde à avoir survécu (suivre, **survivre**, survenir) jusqu'à nos jours. On peut encore aller l'observer en Égypte, tout près du Caire. Selon certains historiens, elle aurait pris (**prendre**, prise, avoir) plus de 20 ans à construire. On peut également imaginer les efforts investis, puisque cette construction a été réalisée (être, résister, **réaliser**) seulement avec la force humaine et quelques outils peu développés. Cette tâche colossale semble (être, assembler, **sembler**) toutefois démontrer un travail de qualité qui permet encore aujourd'hui d'apprécier ces vestiges d'autrefois. Les pyramides ont toujours eu (**avoir**, être, était) un côté mystérieux en raison de leur architecture, mais également des histoires qui y sont rattachées.

Page 61

1. a) Denis (est crié, **a crié**, crira) sa demande et Luc a enfin pu lui répondre.

b) À la suite de la découverte de nouveaux documents, il (trieront, trierai, **triera**) les informations selon les dates d'exploration.

c) Avant le déménagement de sa conjointe, nous (hébergea, hébergerons, **hébergions**) cet homme dans notre grenier.

d) Ils (**brancheraient**, branchait, branchaient) ces nouveaux câbles si l'électricité devenait enfin disponible dans ce bâtiment.

e) Tu (effrayant, **as effrayé**, effrayons) ces pauvres gens avec cette histoire.

f) J'(a modelé, avons modelé, **ai modelé**) cette statue d'argile il y a plusieurs années.

g) Ces affreux personnages (**ont hanté**, a hanté, hanterons) la communauté à la suite de l'adaptation d'une légende épouvantable.

h) Pendant que tu te promenais dans les ruelles, je (visitai, **visitais**, visitait) cette ruine à couper le souffle.

i) Demain, à la cérémonie d'ouverture, je (porte, **porterai**, porterais) ce ruban afin de soutenir la cause qui m'est la plus chère.

j) Vous devriez cesser d'utiliser cette annonce, vous (égarons, égaré, **égarez**) les passants.

Page 62

2.
a) Nous devons _____ plus de clients.
b) Ce médecin devra t'_____ aujourd'hui.
c) Nous devrons toujours les _____ dans leurs travaux.
d) Vous ne devez jamais _____ sur cette touche, sinon, tout s'effondre.
e) Après une longue réflexion, j'ai décidé de _____ dans cet appartement pour une autre année.

demeurer
appuyer
attirer
encourager
examiner

3. a) Vrai
b) Faux

Page 63

4. Dans ma classe d'histoire, notre enseignante nous (expliquaient, **a expliqué**, avons expliqué) ce qu'était le phare d'Alexandrie il y a de cela bien des années. En effet, avec les tremblements de terre et les tempêtes, ce qui (resterai, **restait**, resteront) de cette merveille du monde a été réduit à presque rien. Cependant, le phare (demeurent, **demeure**, demeureront) bien présent dans la culture grecque de par le symbole qu'il est, mais également par son message de protection des siens. Le phare servait effectivement à protéger les marins, le jour comme la nuit, avec sa lumière continue. Un projet a été annoncé afin de (planifié, planifiés, **planifier**) la construction d'une réplique de ce phare non loin de son emplacement d'origine. Peut-être (pouvons, pouvont, **pourrons**)-nous un jour aller visiter cette page d'histoire.

5. Les mots *facilitée* et *litérature* doivent être encerclés. Les formes correctes sont *facilité* et *littérature*.

Page 64

1. a) Avec cette énorme voiture, ils (aplatit, **aplatirent**, aplatissait) la statuette sans même se rendre compte de l'incident.

b) Dans le message envoyé à toute la famille, vous (**avez garanti**, avons garanti, avez garantis) un mémorable voyage dans le temps.

c) La couleur originale de la construction (jaunissais, jaunissent, **jaunissait**) à vue d'œil.

d) Nous (ont saisi, **avons saisi**, avons saisit) l'occasion dès que ce fut possible.

e) Pour les prochains jours du voyage, nous (ralentirez, **ralentirons**, ralentiront) notre rythme afin de nous reposer un peu.

f) Mélodie et Véronique (avait élargi, **ont élargi**, on élargi) leur champ d'expertise par cette expérience.

g) Ce groupe de travailleurs (bâtissent, **bâtit**, bâtissant) une magnifique école pour cette communauté.

h) Nicolas (nourra, **nourrira**, nourira) son petit frère pour la première fois.

i) Lorsque nous reviendrons visiter le pays, toutes les tulipes (aura fleuri, **auront fleuri**, ont été fleuries).

j) Puisque nous avons invité plusieurs personnes pour dîner, nous (rôtissont, **rôtissons**, rôtissa) un poulet entier.

k) Ce sont ces moments qui nous permettent de nous (réunire, réunnir, **réunir**).

Page 65

2.

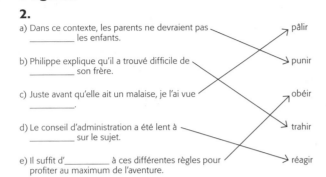

a) Dans ce contexte, les parents ne devraient pas _____ les enfants. → pâlir

b) Philippe explique qu'il a trouvé difficile de _____ son frère. → punir

c) Juste avant qu'elle ait un malaise, je l'ai vue _____. → obéir

d) Le conseil d'administration a été lent à _____ sur le sujet. → trahir

e) Il suffit d'_____ à ces différentes règles pour profiter au maximum de l'aventure. → réagir

3. a) Vrai

b) Vrai

Page 66

4. Dans le cadre de notre atelier d'arts plastiques de la semaine, notre enseignante nous propose de reproduire avec les matériaux de notre choix une œuvre qui nous inspire. Puisque je suis une grande admiratrice de la mythologie grecque, j'ai l'embarras du choix en ce qui concerne les réalisations inspirantes. J'ai tout de même réussi à trancher et j'(a choisi, **ai choisi**, avons choisi) de reproduire la statue de Zeus, bien entendu en format réduit, puisque l'originale dépasse les dix mètres de haut. J'(**ai réfléchi**, aie réfléchi, ai réfléchie) et je crois que je vais utiliser une peinture dorée afin de représenter ses habits en or. Je (bâtissons, bâtissent, **bâtis**) d'abord ses accessoires en papier mâché. Le groupe (**réagit**, a réagi, ont réagi) positivement en observant le produit fini. Disons que je ne (garantit, garantie, **garantis**) pas l'exactitude des mesures, mais c'est vrai qu'elle a fière allure, cette statuette !

Page 67

1. a) Cet article sur le phare d'Alexandrie (attendrons, **attendra**, attendrait) à demain pour sa parution officielle.

b) Nous pouvons imaginer la créativité de ceux qui (**ont conçu**, ont concevu, ont conçoit) les plans de cette merveille du monde.

c) Il (**a été admis**, ont été admis, avaient admis) que deux personnes étaient à l'origine de cette décision.

d) Marc (**cueille**, cueillent, cueile) une fleur dans ce jardin tellement inspirant.

e) Ce poète (décris, **décrit**, décri) avec justesse la beauté des lieux.

f) Yves (a découvers, **a découvert**, a découverts) ce passage après son premier voyage.

g) La compagnie qui s'occupe de construire les hôtels de la région (abattront, abattrons, **abattra**) cet arbre centenaire pour utiliser au maximum l'espace réservé aux voyageurs.

h) Ce napperon a entièrement (été coussu, **été cousu**, été cousus) par les femmes du village.

i) Après tant d'années à s'attendre, ces amoureux (**couraient**, courssaient, courait) l'un vers l'autre lors de leur rencontre.

j) Les analyses et les explorations prévues (serons suspendues, **seront suspendues**, soit suspendues).

Page 68

2.

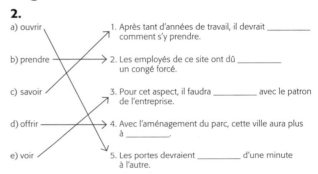

a) ouvrir

b) prendre

c) savoir

d) offrir

e) voir

1. Après tant d'années de travail, il devrait _____ comment s'y prendre.

2. Les employés de ce site ont dû _____ un congé forcé.

3. Pour cet aspect, il faudra _____ avec le patron de l'entreprise.

4. Avec l'aménagement du parc, cette ville aura plus à _____.

5. Les portes devraient _____ d'une minute à l'autre.

3. a) Vrai

b) Faux

Page 69

4. Vous (aviez déjà vu, **avez déjà vu**, a déjà vu) une image de ce qui fut l'une des merveilles du monde, le colosse de Rhodes ? Comme son nom l'indique, il s'agit d'une statue gigantesque que l'on pouvait (**apercevoir**, apercçvoir, apersevoir) à Rhodes, en Grèce, et qui représentait le dieu Hélios. Du haut de ses trente mètres, cette figure de force tout en bronze (auraient pu, auront pu, **aurait pu**) se comparer à la statue de la Liberté des États-Unis en ce qui concerne ses dimensions. Le colosse (as été détruit, aura détruit, **a été détruit**) par un tremblement de terre et, aujourd'hui, aucune trace de cet héritage architectural ne demeure. Par contre, plusieurs artistes bien connus se sont inspirés de cette merveille du monde afin de la représenter à leur façon. On peut même la retrouver dans certains jeux vidéo ou séries télévisuelles des années 2000.

5. Les mots *fermetur* et *pane* doivent être encerclés. Les formes correctes sont *fermeture* et *panne*.

Page 70

1. a) Nous (ira, **irons**, iront) voir le guide afin de nous procurer la brochure.

b) Après la présentation officielle des joueurs, nous (**glisserons**, glisseront, gliserons) sur la colline.

c) Je (ferais, **ferai**, ferrai) un album souvenir avec toutes ces photos.

d) Madeleine, Claire et Louise (aurons, auraient, **auront**) une chambre à paliers multiples.

e) Les documents qui attestent de l'authenticité de cette histoire (**proviendront**, provieneront, proviendrons) d'Espagne.

f) Elle vous (demanderas, demanderont, **demandera**) probablement votre accord avant de signer ce formulaire.

g) Juste avant son départ, Fabienne (verrouilla, **verrouillera**, verouillera) la porte de l'entrée.

h) Pierre et Jean-Marc (changeons, changerons, **changeront**) de mot de passe suite à cet incident.

i) Je (**paierai**, pairai, paierais) la note au restaurant afin de tous vous remercier pour votre travail.

j) Nous (soutenons, **soutiendrons**, soutiendra) votre décision, peu importe les conséquences.

k) Vous (supprimez, supprimerai, **supprimerez**) toutes les informations personnelles de ce client.

Page 71

2. a) garder   1. Je **mettrai / garderai** un peu d'ordre dans tous les papiers.

b) préférer   2. Les directeurs de cet ouvrage **devront / préféreront** s'en tenir aux faits.

c) devoir   3. Nous **devrons / préférerons** prévoir davantage de places assises.

d) mettre   4. En raison de cette annonce, nous **serons** dans l'obligation d'annuler.

e) être   5. Il **gardera** l'aspect original de l'œuvre grâce à cette nouvelle technologie.

3. a) Vrai

b) Faux

Page 72

4. En cette journée de pluie, je rêve, toute seule chez moi, pendant des heures. J'adore penser à ce que ma vie serait si tout changeait. En lisant un livre sur l'architecture, je m'abandonne à imaginer une journée dans le temple d'Artémis, déesse grecque de la nature et de la chasse.

«Je crois que je me (baignerais, **baignerai**, baignera) juste après avoir brossé mes lions. Ensuite, je (demanderait, demandait, **demanderai**) à mes serviteurs de me préparer un goûter que je (grignotterai, **grignoterai**, grignotterais) tranquillement étendue dans mon lit de reine. J'(invitrai, **inviterai**, inviterais) peut-être pour la soirée le reste du peuple à un grand festin. Et, qui sait, je (**rencontrerai**, rencontrai, rencontttrerai) peut-être l'homme de ma vie durant cette soirée!»

En attendant d'avoir la vie rêvée d'Artémis, je dois laisser ce beau rêve, car deux devoirs de mathématiques m'attendent pour demain matin.

Page 74

1. Plusieurs réponses possibles. Voici quelques exemples.

a) Cet ananas **ne** semble **pas** être d'une grosseur normale.

b) Il **n'**a **nullement / jamais** été question de cacher le nom de cet aliment étrange.

c) Il **n'**existe **personne** de mieux placé que toi pour expliquer cette apparence quelque peu dégoûtante.

d) Tu **ne** dois **jamais / pas** croire ce que l'on te raconte à mon sujet.

e) Attention de **ne pas / ne jamais** confondre ces deux espèces, qui ont plusieurs éléments en commun.

f) Pour moi, il **n'**y a **rien** de plus important que mon potager.

g) Cette citrouille est si immense qu'elle **ne** peut **pas / nullement** être coupée avec un couteau de boucher.

h) Elle **n'**a **aucunement / nullement / pas** l'intention d'abandonner si facilement la course au titre de la cuisinière la plus originale.

Page 75

2. a) **Les Fortin ne vont jamais en voyage durant l'année scolaire.**

b) Trouvez-vous des défauts sur cette courge?

c) **Heureusement, il n'y a pas eu de blessés.**

d) **On n'obtient rien sans effort.**

e) Quelle chance! La transplantation a réussi et les fruits semblent intacts.

f) J'adore la saison des récoltes, avec toute cette abondance dans les marchés locaux.

g) **Ne vous fiez pas à cette dame, elle a mauvaise réputation.**

3. a) Vrai

b) Faux

Page 76

4. Le dessin du kiwano doit comprendre les éléments cités dans les phrases négatives seulement. Le fruit ne doit pas être en forme d'étoile.

Page 77

5. Le dessin de l'enfant ne doit comporter que les éléments des phrases négatives du texte.

Page 78

1. Plusieurs réponses possibles. Voici quelques exemples.

a) **Est-ce que** vous croyez qu'il pourra en trouver un semblable?

b) **Comment / Quand** avez-vous découvert cette variété incroyable?

c) **Comment / Quand / Où / Avec qui** veux-tu t'installer pour préparer ton exposition?

d) **Pourquoi / Comment** les villageois ont-ils décidé de cueillir ce fruit?

e) **Combien** de temps devrons-nous attendre avant de le voir pousser?

f) **Comment / Où / Quand** peuvent-ils se procurer cet aliment?

g) **Est-ce que** je peux vous aider, aujourd'hui?

h) **Pourquoi** n'arrivons-nous pas à digérer ce mélange exotique?

i) **Comment** pourront-ils arriver à temps pour nous présenter leur trouvaille?

Page 79

2. a) Je refuse de laisser les autres décider pour moi.

b) **Comment ce phénomène s'est-il produit?**

c) **Ne vois-tu pas le bateau qui est arrivé?**

d) À quoi sert de comparer les deux : nous sommes tous les deux gagnants.

e) Tu rêves en couleurs!

f) Elle ne rencontrera personne après son rendez-vous.

g) **Combien d'heures ont été nécessaires à la réalisation de ce projet?**

h) Je me demande qui est cet étrange personnage.

3. a) Vrai

b) Faux

Page 80

4. Le dessin du fruit serpent doit comprendre les éléments cités dans les phrases interrogatives seulement. Les deux écailles mauves ne devraient pas figurer sur le dessin.

Page 81

5. Le dessin de l'enfant ne doit comporter que les éléments des phrases interrogatives du texte.

Page 82

1. a) _____ (**Rends**, Rands, Rens)-moi ce livre immédiatement.

b) _____ (Aller, **Allez**, Allé) le rejoindre, je vais rester encore un peu.

c) _____ (Parttage, Partages, **Partage**) le biscuit avec ta sœur!

d) _____ (**Tourne**, Tournes, Tournne) ici, c'est le chemin le plus court.

e) _____ (**Passons**, Passeons, Passon) à un autre numéro, celui-ci est trop difficile.

f) _____ (**Lis**, Lit, Lie) attentivement ce chapitre!

g) _____ (Peinturer, **Peinturez**, Peints) plus rapidement, vous ne terminerez pas à temps!

h) _____ (Conjuguiez, Conjugons, **Conjuguons**) les premiers verbes inscrits correctement.

i) _____ (Déposse, **Dépose**, Dépause)-moi ici, je ferai le reste du chemin en marchant.

j) _____ (**Vieillis**, Vieillit, Vieilli) un peu !

k) _____ (Mange, **Mangez**, Manger) tous vos légumes, vous aurez besoin de force pour terminer les travaux.

Page 83

2. a) **Regarde en avant !**

b) En voilà, un drôle d'air !

c) Dois-tu donner une conférence à l'université cet après-midi ?

d) **Libère l'espace réservé aux personnes à mobilité réduite.**

e) Tu ne devrais pas changer ton idée de départ !

f) Je te laisse deviner à quoi cela me fait penser.

g) **Évacuez les lieux, il pourrait encore y avoir un risque pour la sécurité de tous.**

h) **Inscrivez vos noms rapidement !**

3. a) Faux

b) Vrai

Page 84

4. Le dessin du fruit doit comprendre les éléments cités dans les phrases impératives seulement. Les poils ne devraient pas figurer sur le dessin.

Page 85

5. Le dessin de l'enfant ne doit comporter que les éléments des phrases impératives du texte.

Page 86

1. Plusieurs réponses possibles. Voici quelques exemples.

a) **Quel** sacrifice incroyable !

b) **Tant** de merveilles restent à découvrir !

c) **Comme / Que** les temps changent !

d) **Comme / Qu'**ils sont pressés d'emménager !

e) **Quels** bons amis ils font !

f) **Quels** gentils chiens !

g) **Comme / Que** vos enfants sont polis !

h) **Quelle** température magnifique !

i) **Quel** plan redoutable !

j) **Que / Comme** ce voyage a été reposant !

k) **Que / Comme** ce mal de tête me fait souffrir !

l) **Que / Tant** de bonnes nouvelles en ce samedi matin !

Page 87

2. a) **Cette histoire m'a coupé l'appétit !**

b) Que voulez-vous que je réponde à ça ?

c) N'écoute pas les nouvelles ce soir !

d) **Comme je t'envie de l'avoir rencontrée !**

e) Ce sera pour une autre fois.

f) **Quelle chance de pouvoir poursuivre mon rêve avec toi !**

g) Je lui ai donné l'information nécessaire à la suite de sa demande.

h) Combien d'enfants pourront enfin en profiter ?

3. a) Faux

b) Vrai

Page 88

4. Le dessin de la carambole doit comprendre les éléments cités dans les phrases exclamatives seulement. Les extrémités pointues du fruit ne devraient pas figurer sur le dessin.

Page 89

5. Le dessin de l'enfant ne doit comporter que les éléments des phrases exclamatives du texte.

Page 92

1. Ce soir, l'Opéra de Montréal ouvre ses portes afin de permettre au public de se familiariser avec les carrières possibles dans ce milieu. J'attendais ce moment depuis plusieurs années, car je désire devenir chanteur lyrique. (**Heureusement**, Heureusemant), je crois que mes compétences vocales peuvent m'aider, mais je sais que plusieurs autres aptitudes sont nécessaires pour réussir dans cette profession. Les gens méconnaissent tous les aspects que ces chanteurs doivent travailler, comme la posture, mais aussi l'(apprentissement, **apprentissage**) de différentes langues : (**française**, françoise) ou (angloise, **anglaise**), par exemple. Je suis heureux d'avoir choisi ce parcours tôt, car j'aurai plusieurs années de travail devant moi !

La notion traitée ici est : les suffixes.

Page 93

3. En cette journée pédagogique, j'accompagne mon oncle (**parent**, professeur) à son travail pour la journée. Détrompez-vous si vous croyez que je vais m'ennuyer dans un bureau (électroménager, **pièce**) toute la journée. Sa profession ? Laveur de vitres au centre-ville. Il s'occupe principalement des

vitres des grandes tours de bureaux. Avec sa nacelle, il est souvent perché à plus de 100 mètres du sol pour accomplir son travail. Par chance, plusieurs mécanismes de sécurité le protègent, mais il reste quelques éléments imprévisibles, comme le <u>vent</u> (**climat**, astrologie) ou la circulation au sol. Puisque ce sera ma première expérience, mon oncle me fait monter dans sa nacelle avec lui jusqu'à 50 mètres. Je crois que ce sera suffisant pour l'instant ; je préfère nettement mieux avoir les deux <u>pieds</u> (morceaux, **parties du corps**) sur terre !

La notion traitée ici est : les mots génériques.

Page 95

1. (**Un**, Une, Des) <u>domoticien</u> n'a rien à voir avec un chirurgien ou un opticien, mais plutôt avec l'informatique et la robotique ! C'est le spécialiste des maisons intelligentes, celles qui peuvent vous accueillir le soir en allumant (nos, vos, **votre**) <u>foyer</u> ou encore en vous permettant de contrôler la température de votre piscine à distance. Bien évidemment, (tout, **toutes**, tous) <u>ces commodités</u> viennent avec une jolie facture, mais cela reste impressionnant de voir jusqu'où (la, le, **l'**) <u>informatique</u> peut aller ! Qui dirait non à un aquarium géant qui change de couleur selon la personne qui entre dans la pièce ? Cela ferait (**un**, une, le) <u>sujet de conversation</u> autour de la table lors d'une soirée entre amis. Et pourtant, le meilleur reste probablement à venir…

La notion traitée ici est : les déterminants.

Page 96

3. Roxy, Patch, Lexie, Frousse, Puffy et Sissi sont les noms de mes <u>clients</u> (anciens, **réguliers**). Moi, je les adore plus que tout, mais certaines de mes connaissances ne peuvent les supporter, probablement à cause de leur difficulté à rester propres plus de 5 minutes ! Vous l'aurez peut-être deviné, je suis promeneur de chiens, et j'adore passer mes journées avec ces (horribles, **adorables**) <u>toutous</u>. Bien entendu, c'est beaucoup de travail de sortir de la maison avec six bêtes en laisse, mais <u>les chiens</u> sont si (laids, **beaux**) à voir une fois arrivés au parc à chiens. Ils s'amusent tellement que le temps ne compte plus. J'aime aussi me balader avec eux, puisque je crois que les gens s'attendrissent à la vue de cette petite <u>meute</u> (méchante, **sympathique**). Mais ce que je préfère par-dessus tout, c'est de voir un enfant émerveillé devant ces petites boules de poils !

La notion traitée ici est : les adjectifs.

Page 98

1. Une nouvelle boutique vient tout juste d'ouvrir ses portes au centre d'achat près de chez moi. Sa construction a pris plus de (**dix-huit**, dix huit, dix-8) <u>mois</u>, mais nous pouvons aujourd'hui apprécier tous les détails de cette magnifique bijouterie. Le joaillier nous invite à voir son présentoir, qui comporte sa collection de plus de (deux-cents-vingt, deux-cent-vingts, **deux cent vingt**) <u>bijoux</u>. De belles pierres et de l'or (vingt-quatres, vingt quatre, **vingt-quatre**) <u>carats</u> sont utilisés dans la majorité des créations, mais on peut aussi trouver pas moins de (**quatre-vingt-dix**, quatre vingts-dix, quatre-vingt-dis) <u>sortes</u> de pierres précieuses importées de partout dans le monde. On peut dire que cette boutique attire l'œil des passants !

La notion traitée ici est : l'écriture des nombres.

Page 99

3. À l'approche du temps des fêtes, mon amie Shany, une artiste remplie de (tallent, talant, **talent**), m'invite à un salon des métiers d'art auquel elle participe. Arrivée sur place, je suis étonnée par toutes les merveilles que j'y trouve. Des cartes de (souaits, **souhaits**, souhets) originales, des jouets en bois peints à la main ou encore de larges (foullards, foularts, **foulards**) tricotés aux couleurs multiples ne sont que quelques exemples d'objets à se procurer ou à offrir. Tous les visiteurs semblent comblés par le choix et la (**qualité**, qualitté, qualitée) de ce qui s'offre à leurs yeux. Cependant, ce que je retiens d'abord de cette visite, c'est l'air timide de ces (artisents, **artisans**, artisants) qui ouvrent un volet très personnel de leur vie : leur imagination.

La notion traitée ici est : l'orthographe des mots.

Page 101

1. Mes parents et moi planifions un voyage en Grèce afin d'aller (visité, visitter, **visiter**) quelques sites d'anciennes merveilles du monde. Depuis plusieurs années, nous avons ce projet en tête, et maintenant, nous allons enfin le (concrétier, **concrétiser**, concrétisser). Inutile de préparer un itinéraire ; nous avons décidé de nous laisser guider par les gens de l'endroit. Bien entendu, nous n'arriverons pas à tout voir en deux semaines, mais certains incontournables seront sur notre liste de lieux à ne pas (menquer, **manquer**, manqué) ! J'ai l'impression que le simple fait de me promener dans les villes historiques me permettra de m'(**imprégner**, inprégner, imprégné) de la mythologie grecque et des personnages légendaires qui y sont rattachés.

La notion traitée ici est : infinitif du verbe.

Page 102

3. Quelle joie! Je viens de recevoir un appel important de la part de l'éditrice du journal local. Elle m'a demandé d'écrire un article sur les merveilles du monde moderne selon différents classements connus. Je (réserverais, réserveré, **réserverai**) sans doute une place de choix à l'Empire State Building, situé à Manhattan, puisque j'ai adoré la visite de ce lieu. Je n'(oblierai, **oublierai**, oublier) certainement pas le Golden Gate de San Francisco, qui offre une vue spectaculaire. Il y a tant de choix de lieux incroyables que je crois que je (**ferai**, fairai, ferais) une liste afin de ne pas en oublier. J'en (profitterai, profiterais, **profiterai**) pour faire la planification de mes voyages à venir pour les prochaines années.

La notion traitée ici est: le futur simple.

Page 104

1. Le dessin de l'enfant doit comporter les éléments des phrases soulignées seulement. La tige en tire-bouchon ne devrait pas apparaître sur le dessin.

La notion traitée ici est: la phrase exclamative.

Page 105

2. Le dessin de l'enfant doit comporter seulement les éléments des phrases exclamatives trouées et soulignées.

Page 107

Boo! Joyeuse Halloween!

Les feuilles sont pratiquement toutes tombées des arbres et la température extérieure nous rappelle que l'hiver approche. C'est l'Halloween aujourd'hui, et contrairement aux dernières années, j'ai décidé d'organiser une fête avec mes amis. Chambre hantée, friandises effrayantes et film d'horreur seront au rendez-vous pour cette soirée qui se veut mémorable. De plus, une surprise de taille attendra mes invités juste avant leur départ, lorsque la nuit sera tombée. Depuis plus d'une semaine, je travaille avec mon chien un numéro terrifiant dans le plus grand des secrets. Voici ce que j'ai prévu: au moment où mes amis seront captivés par le film d'épouvante, je sortirai un bol de croustilles, et c'est là que Goliath arrivera par-derrière afin de récupérer sa récompense. Je crois bien que cette anecdote fera jaser tout le monde pendant quelques semaines. Après tout, la fête d'Halloween ne serait pas aussi mémorable sans une petite frousse remplie d'amour!

Page 108

Un Noël au chaud

Le temps des fêtes est mon moment préféré de l'année depuis que je suis haute comme trois pommes. En effet, depuis ma tendre enfance, Noël est pour moi synonyme de nourriture en abondance, de rassemblements de famille qui se terminent au petit matin et, bien entendu, d'échanges de cadeaux choisis avec soin par les gens qu'on aime. Dès le début du mois de novembre, je me plais à écouter de la musique des fêtes en décorant petit à petit l'intérieur et l'extérieur de ma maison. J'aime aussi fabriquer moi-même les présents à offrir à ma famille. Un petit cadeau gourmand pour ma mère, un calendrier avec des rappels d'anniversaires pour mon père et un accessoire mode pour ma sœur, et le tour est joué! Même Oscar a droit à une douzaine de biscuits faits maison qui iront directement dans son bas de Noël. Je sais que je suis chanceuse de pouvoir profiter des plaisirs de cette fête avec les gens que j'aime et c'est pourquoi, chaque année, je tiens à encourager un organisme qui soutient les familles dans le besoin, spécialement à l'occasion de Noël.

Page 109

Un lapin généreux

Mon frère Laurent s'est levé très tôt ce matin et arrive en courant dans ma chambre. Il tient absolument à me tirer du lit, puisqu'il veut vérifier si le lapin de Pâques est passé chez nous. J'accepte donc de l'accompagner à l'étage et, à notre grand plaisir, deux paniers nous attendent au bas de l'escalier. Nous partons donc à la chasse aux surprises, trouvant quelques œufs et plusieurs poules en chocolat. Avec un panier bien rempli, nous nous installons devant le foyer pour déguster notre festin sucré. Tout à coup, Laurent se lève et se dirige à nouveau vers la cuisine. En essayant de lui expliquer que la chasse est terminée, je vais le rejoindre pour l'inciter à regagner sa place auprès de moi, mais nous tombons nez à nez avec un chiot qui dort paisiblement dans un petit panier. Une médaille dorée est accrochée à son cou et on peut y lire «Joyeuses Pâques»! Laurent et moi sommes très heureux de cette surprise et souhaitons officiellement la bienvenue à ce petit nouveau que nous appellerons Jeannot!

corrigé

Page 110

Lettres mystérieuses

Le rose et le rouge sont à l'honneur à notre école en cette journée de Saint-Valentin. Tous les élèves ont même décidé de porter ces couleurs afin de plonger dans l'ambiance festive. Les enseignants ont prévu plusieurs activités, et une collation spéciale nous sera offerte un peu plus tard dans la journée. Malgré toutes ces attentions plaisantes, on sent une certaine fébrilité dans l'air. En effet, notre enseignante nous informe que nous recevrons peut-être du courrier provenant d'autres classes de l'école. Un homme portant un gros sac rouge sur l'épaule frappe finalement à la porte de notre classe et nous mentionne qu'il s'agit des lettres qui nous sont destinées en nous souhaitant bonne lecture. La distribution débute et je sens mon cœur battre plus rapidement qu'à l'habitude. Et si je ne recevais pas de lettre et que j'étais le seul à ne pas en avoir? Par chance, notre enseignante me nomme et me remet une carte dans une enveloppe blanche. Mon prénom est effectivement inscrit sur celle-ci. Je l'ouvre et je reconnais rapidement l'écriture de mon ami secret. Mon frère, qui est plus âgé que moi, a profité de l'occasion pour m'écrire un message d'excuse, puisqu'il a égaré mon étui à crayons, hier. J'imagine qu'on peut appeler ça un message d'amour entre frères.

Page 111

À l'an prochain!

À l'occasion du Nouvel An, ma famille et moi avons décidé de prendre quelques jours de congé et d'aller visiter la ville de New York. Les célébrations sont grandioses dans cette région et on peut apercevoir des décorations partout dans la ville. Les vitrines de magasins célèbres sont magnifiques et il y a foule en permanence dans les rues. Malgré les trottoirs bondés, tout le monde semble poli et heureux d'être là pour savourer ces instants magiques. Après plusieurs heures de visite de différents attraits touristiques, nous décidons de chercher un restaurant où l'on pourra se reposer et se réchauffer. Plusieurs endroits affichent complet et il se fait tard. Mon père décide donc d'appeler un taxi. Intriguée, ma mère demande pourquoi, mais mon père nous dit qu'il nous réserve une surprise pour la veille du jour de l'An. Nous voilà donc dans le taxi, et mon père demande au chauffeur de nous amener près du grand sapin illuminé au cœur de la ville. Sur place, mon père va nous chercher des chocolats chauds et nous pointe un banc de parc. Une fois installés, nous constatons vite que nous avons trouvé les meilleures places de la ville pour admirer les festivités.

Page 112

Chansons d'ici

Aujourd'hui, 24 juin, le Québec en entier se prépare à célébrer son anniversaire dans toutes les villes de la province. Feux d'artifice, musique, spectacles et jeux gonflables feront partie de cette belle soirée pour toute la population. Plusieurs artistes bien connus sont attendus pour une performance sur la grande scène de ma ville et je compte bien y assister. Après quelques minutes de ce concert, je me rends compte à quel point la musique d'ici est variée. Ce soir, nous pourrons entendre du jazz, du rap et même de la pop d'artistes d'ici. Ce qui est le plus étonnant, c'est que ces styles musicaux peuvent très bien se mélanger et demeurer magnifiques à nos oreilles. La variété ne se retrouve pas seulement sur la scène, mais aussi dans le public. Petits et grands semblent apprécier la soirée et tout le monde encourage les artisans de la chanson avec autant d'entrain. On peut dire que ce soir, je suis vraiment fière de faire partie des gens d'ici qui encouragent les artistes de talent qui seront peut-être des vedettes internationales un jour.

Page 113

Feux et trompettes

À l'occasion de la fête du Canada, la compagnie d'animation de ma mère a été engagée pour organiser les célébrations de notre village, qui ont lieu aujourd'hui. Puisqu'un des employés ne peut venir travailler ce soir, ma mère me demande de le remplacer. J'accepte avec joie et je m'empresse de la suivre jusqu'au camion qui transporte l'équipement. Ma mère m'explique que je devrai proposer aux gens certains articles comme des trompettes, des bandeaux lumineux ou encore de petits drapeaux. En arrivant sur les lieux de la fête, plusieurs enfants viennent vers moi en courant et achètent divers objets. Après vingt-cinq minutes, je retourne voir ma mère, puisque je n'ai plus rien à vendre. Surprise, elle m'informe que nous n'avons rien d'autre et que je devrai trouver un moyen d'occuper les enfants en attendant les feux d'artifice. Je n'arrive pas à le croire, mais je retourne près de mon kiosque, où les enfants m'attendent. Je sais! J'ai un sac de ballons dans ma veste. Je crois que ça pourra les distraire assez longtemps! Je ne pensais pas que travailler dans le monde de l'animation demandait autant d'imagination!